LES CHIENS AUSSI

Azouz Begag est né en 1957, à Villeurbanne, de parents algériens. Il est écrivain (auteur de nombreux romans et essais) et chercheur au CNRS. De 2005 à 2007, il a été ministre délégué à la Promotion de l'égalité des chances. Son roman, *Le Gone du Chaâba* a été adapté au cinéma et a connu un succès de librairie considérable. Azouz Begag a été nommé chevalier de l'Ordre national du Mérite et chevalier de la Légion d'honneur.

Azouz Begag

LES CHIENS
AUSSI

Éditions du Seuil

TEXTE INTÉGRAL

ISBN 978-2-02-063880-7
(ISBN 2-02-030120-2, 1ʳᵉ publication poche
ISBN 2-02-023347-9, 1ʳᵉ publication)

© Éditions du Seuil, mai 1995

L'albatrose

Souvent, pour s'amuser, les hommes d'équipage
Prennent des albatros, vastes oiseaux des mers,
Qui suivent, indolents compagnons de voyage,
Le navire glissant sur des gouffres amers.

BAUDELAIRE

Mon père ne tournait plus rond. Il en avait marre de travailler comme un chien. C'était la faute à sa jeunesse qui s'en allait, mais il ne le savait pas, alors il devenait méchant avec ses propres enfants et sa chienne de femme, notre mère-poule. Tous les soirs, en rentrant à la niche après le travail, il envoyait ses ordres comme s'il était un pacha avec des esclaves, et les esclaves, c'étaient nous.

– J'ai les crocs ! Apportez-moi la bidoche ! J'en ai plein le dos de faire tourner cette « dame » de roue !

En vérité, il ne disait pas exactement « dame » de roue, mais un autre mot interdit d'écriture dans les livres, sous peine de poursuite.

Chaque jour, il faiblissait d'un cran. Il marchait dans la vie le dos de plus en plus voûté, comme s'il en avait trop porté. Il traînait sa carcasse. Ses oreilles étaient basses. Ses dents se déchaussaient. Il perdait ses poils. En plus, il devenait sourd : quand on lui parlait, il répondait souvent par une série de « Coua Coua Coua ? » comme un canard.

Emma, ma mère, ne se laissait pas faire. Elle se moquait de lui. Il grognait.

– Coua, coua, coua !

– Oui, c'est ça. Couche-toi !

9

J'avais peur, quand mes parents s'engueulaient, surtout quand mon père menaçait Emma de lui « arracher les yeux ». Avec quoi elle allait me regarder après, ma mère ?

*   *
*

Ce soir, il est rentré à la niche, il s'est posé devant l'entrée, son coin favori, et il m'a appelé d'un air malin que je connaissais sur le bout des oreilles.

– Viens, approche-toi de moi, fiston.

Fiston, tu parles ! Je l'ai reluqué en chien de faïence. Je me doutais qu'il allait me demander un service, faire des courses pour lui ou quelque chose comme ça. Il a dit :

– Enlève-moi mes tiques, je suis lessivé.

Je n'ai pas pu refuser.

Il en avait deux énormes, plantées dans le cou. Il a dit en maugréant :

– Oui, là ! J'en ai plein le cou.

J'ai dit :

– De quoi ?

– Des tiques, pardi !

J'étais expert en tiques. En cinq minutes, je les ai trouvées et je leur ai fait leur anniversaire. C'étaient des tiques nerveuses, les pires, celles fabriquées par la maladie du travail. Faire tourner la roue, comme son propre père l'avait fait, faisait de mon chien de père une proie facile pour toutes les tiques du monde. Il avait l'impression d'avoir manqué le coche, d'être passé à côté de la vraie vie. Ça lui donnait des boutons, des insomnies, des regrets.

– Faire tourner la roue toute une vie, quelle tristesse !

Ça voulait dire que c'était un travail de forçat, un travail forcé. Si on ne le faisait pas, on mourrait de faim. Et pour sa famille, ce serait la fin aussi.

Mais que pouvait-il faire d'autre ?

* *
*

Je m'appelle César, le chiot. Enchanté.

Elle, c'est ma sœur. Nikita la chiotte. Elle a la langue bien pendue et toujours les crocs, elle aussi. Tel père, telle fille ! Eh ! ça lui ferait du bien de mourir un peu, elle serait plus légère. Elle mange, elle dort, elle mange, elle dort, c'est son menu de vie quotidienne. Moi j'essaie de lui dire de réfléchir un peu. Peine perdue. Elle n'a qu'une seule réplique à la gueule :

– Tu oublies que t'es rien qu'un chien !

Elle est chez elle, au pays des ignorants.

Moi je regarde vers l'horizon de chaque jour et je deviens exigeant : je ne veux pas être tel père, tel fils, passer mon temps à maudire la vie de chien.

Nikita me dit encore : « Un chien vaut mieux que deux tu l'auras ! » Ou bien : « Mieux vaut être un chien vivant qu'un lion mort. »

Elle mélange tout.

* *
*

Mon père a passé toute la soirée à regarder le soleil qui pliait bagage pour la nuit. La tête avachie sur le sol, les oreilles à plat ventre dans la poussière, les yeux à guichet fermé. Et vas-y que je me plains par-là, que je me plains par-ci. Jamais content. Il y a toujours un os sur son chemin…

Pendant la complainte, Emma astiquait la niche.

La nuit tombée, nous sommes allés nous coucher pour laisser à la terre le temps d'aller faire un tour.

Mon père a ronflé pendant des heures. Des fois, je me réveillais et j'avais l'impression d'entendre un train qui ne pouvait pas démarrer et après je mettais un temps fou pour me rendormir. J'ai même vu en rêve notre maître qui ne pouvait plus supporter mon père et qui faisait appel à une maison spécialisée pour qu'un expert vienne le piquer avec une aiguille qui fait dormir le temps d'une vie. C'était horrible. A un moment, je me suis carrément levé, je suis allé vers lui, j'ai murmuré :

– Papa, t'es encore vivant ? Tu dors ?

Il ronflait tellement fort qu'il ne m'a pas entendu. J'ai soulevé ses paupières et le blanc de ses yeux est sorti comme une source de lune. J'ai pensé que c'était pour mieux voir dans ses rêves nocturnes. Il s'est replacé sur son bon côté. Il était encore vivant et chaud. Je suis allé me recoucher, rassuré. Je voulais bien aider mon père à voir la vie d'une autre couleur, mais je ne savais pas par où commencer le travail.

Ça rêve de quoi un père et une mère ?

* *
*

Le lendemain, le jour avait à peine soulevé une paupière quand il s'est levé. Il n'a pas hurlé à la mort, mais c'était tout comme. Il insultait tant qu'il pouvait sa chienne de vie. J'entendais Emma qui, tout en lui faisant son manger, lui recommandait des « chut ! chut ! » pour ne pas réveiller les enfants. L'agitation ne troublait pas le moins du monde Nikita, mais moi, impossible de tenir les yeux fermés.

Je me suis redressé sur mes pattes. Ma mère remplissait le *doggy-bag* du travailleur : deux os à moelle cuisinés à la sauce provençale, avec oignons et tout, ça sentait bon dans toute la baraque. Il m'a aperçu :

– Déjà debout ? Si tu veux, tu peux m'accompagner au travail. Je te montrerai la roue ; maintenant tu es assez grand pour te rendre compte de ce que tu ne dois pas faire dans la vie.

J'étais ravi. Un peu inquiet, aussi. J'ai dit oui sans hésitation.

Ma mère était pessimiste :

– Si tu veux saper le moral du petit, c'est pas la peine.

Il s'en est défendu. Il voulait juste me montrer les chemins d'une vie manquée, pour que je prenne des raccourcis, quand je serais lancé dans la course. Elle a baissé sa garde.

*   *
*

Nous sommes sortis de la niche. La maison des maîtres était encore endormie. Les zumins vivent souvent tard dans la nuit et, au petit matin, ils prennent le temps de voir venir le jour. Ce sont des profiteurs de vie.

Tandis que les OS comme mon chien de père, les ouvriers spécialisés, c'est la vie qui profite d'eux. Ils rentrent dans leur baraquement la nuit et en ressortent la nuit, alors ils n'ont jamais le temps de s'occuper de leur nichée. C'est pour arrêter cette routine que mon père ne voulait plus aller bêtement faire tourner la roue chaque jour de toute une vie. Il avait maintenant une nouvelle idée fixe :

– Je ne veux plus faire tourner la machine. Je voudrais être un créateur…

Il a soupiré de dépit.

– Un créateur ? C'est pas un métier de chien, j'ai fait remarquer. C'est pas un rôle pour nous.

Il a assené un coup de patte à une poubelle gonflée de déchets :

– Je vendrais même ma famille pour être libre !

Il y avait un chien SDF qui dormait dans la poubelle. Mon père s'est excusé pour le dérangement. L'autre a murmuré des mots qui ne sont pas sortis de sa gueule. Il avait l'air drogué avec ses yeux rouges et ses poils électrisés.

Nous avons continué notre chemin.

Après un long silence, mon père s'est remis à parler :

– Tu as vu ce clochard ? Malheureusement, c'est ce qu'on devient quand on ne veut plus faire tourner la roue. Hop ! A la poubelle. Y a pas le choix. C'est ça, la vraie pauvreté, fiston. Quand t'as pas le choix de choisir.

Ça m'a donné la chair de poule. Je ne voulais pas faire le métier de pauvre quand je serais à part entière.

– Papa, c'est vrai qu'y a que nos maîtres qui peuvent être créateurs de monde ?

– Ça, c'est sûr ! Ils ont les enzymes qu'il faut pour ça. Nous...

Il en a bavé de rage.

– Eux, ils pensent ! Ils ont l'intelligence sous le poil, tu comprends... ils posent de bonnes questions, ils les font pousser dans des champs et après ils récoltent les réponses.

– Et puis après, quoi ?

Il s'est arrêté net. Il m'a regardé dans les yeux, comme pour bien me faire rentrer les choses.

– Après ? Eh bien, ils peuvent changer le monde... ils modifient la roue que nous faisons tourner... ils inventent des roues qui tournent plus vite, qui consomment moins d'énergie... Et nous, on exécute.

les zumins sont creatures

Ça semblait magique d'avoir de l'intelligence sous le poil. J'étais furieux de savoir que ce n'était pas fait pour les chiens. Les zumins avaient bien de la chance d'avoir reçu ce cadeau de la nature. J'aurais tant aimé être un chien humain, et mon père aussi, et Emma aussi, et ma sœur aussi. On aurait eu la bella vita.

*   *

*

Hélas, nous n'étions pas égaux comme tout le monde, pas besoin d'école pour comprendre ça. Les maîtres ne nous aimaient pas gratuitement. Ils avaient acheté mes parents au marché des chiens, pour les employer comme sécurité intérieure dans le jardin de la villa : ATTENTION, CHIENS MÉCHANTS. C'étaient nous. A cause de cette étiquette d'épouvantail, les gens avaient peur de notre délit de sale gueule.

Nous avions été dressés pour avoir l'obéissance au doigt et à l'œil. Alors nous fermions nos gueules et nous baissions la queue. C'est tout. Nous ne posions pas de questions. Autrement, c'était la piqûre dans les fesses qui fait disparaître pour toujours. Et même qu'on ne pouvait jamais revenir en plein jour.   *thingy*

Des chiens. Pas étonnant que même les enfants de nos maîtres ne nous respectaient pas : « Machin, viens ici, je te dis ! Couché ! Debout ! J'ai dit au pied ! Va chercher ! Ramène ! Je t'ai dit de poser ! A la niche ! Fils de chien ! Chien d'abruti ! »

C'était pas une vie.   *au pied - heel*

— Papa ?

— Oui, fiston ?

— Pourquoi nous, on n'est pas...

– Et pourquoi ci et pourquoi ça? Tu poses trop de questions. Ça suffit. Je sais pas répondre à tout ça, moi, je suis allé dans un centre de dressage, pas dans un lycée. Faut faire tourner la roue… c'est tout. Faut pas chercher à comprendre.

Nous avons continué. Il avait l'air colère. Je voulais encore demander s'il vendrait réellement sa famille pour devenir créateur, mais il s'était refermé.

* *
*

Nous avons croisé un groupe de trois chiens errants qui s'en allaient, drôle d'idée, à l'aéroport de Roissy-Charles-de-Gaulle pour prendre un avion clandestinement. Pas moins que ça. Mon père a parlé avec eux, en sérieux. Ils fuyaient la roue et s'en allaient émigrer au pays du Bonheur.

Quand ils ont prononcé ce mot, j'ai fait :

– Au pays du Bonheur?

– Quand les grands parlent, tu fermes ta gueule, fiston! a rappelé papa.

OK. J'ai serré les dents.

Puis il leur a dit que le pays du Bonheur existait seulement dans les dépliants des agences de voyages. Et encore plein d'autres choses négatives, encore. Ils ont fait semblant de l'écouter, mais ils ne perdaient pas le nord. A la fin, ils lui ont demandé de l'argent pour acheter un hot dog, un *chien chaud*. Il a répondu qu'il n'avait pas d'argent sur lui. Ils ont remercié quand même et ils se sont éloignés. Deux secondes plus tard, il les a appelés par-derrière :

– Eh! Attendez, mes frères!

Il s'est avancé vers eux. Il leur a tendu le *doggy-bag* qu'Emma lui avait préparé pour prendre des forces aujour-

d'hui. J'ai eu un coup au cœur. Les chiens migrateurs
n'osaient pas accepter. Ils ne savaient plus du tout où se
mettre. Il insistait :

– Je vous en prie, je vous en prie. Il n'y a pas de honte à
avoir faim.

Celui qui a pris le manger s'est mis à pleurer. Mon père
lui a donné une accolade en lui souhaitant bonne chance.
Il a dit qu'ils avaient beaucoup de courage de briser le
cercle infernal. Puis nous les avons laissés partir vers les
avions.

J'étais fier d'être le chiot de mon père. Les chiens aussi
pouvaient avoir le cœur sur la patte !

* *
*

La lumière du jour entamait le réveil blanc de la ville de
Nanterre. Les travailleurs de l'aube s'activaient à chasser la
nuit. Mon père saluait tout le monde. Tous le connais-
saient. J'étais encore plus fier et confiant de voir qu'il y
avait bien d'autres chiens dans les quartiers qui vivaient
comme des chiens, sans pouvoir choisir, comme nous. Je
me sentais moins isolé.

Nous avons obliqué à plusieurs coins de rue, traversé
une grande place sur laquelle des marchands forains ins-
tallaient leurs étals, contourné le parc André-Malraux.

J'ai eu une idée de génie :

– Papa, moi je voudrais faire magichien quand je serai
grand !

– Pourquoi magichien ?

– Pour faire rire les chiots et les chiottes.

– Tu crois que ça fait avancer les choses de rire ? Tu
crois que c'est une réponse ?

17

– Non, mais les chiots et les chiottes ont le droit de rire.

Après un silence, il a ri très fort et il a dit :

– T'as raison, fiston.

Il a reconnu que, lorsqu'on avait une vie de chien, premièrement, il fallait en être fier et, deuxièmement, il valait mieux en rire qu'en pleurer. J'ai ri fort, pour l'imiter.

Il mentait.

Il disait ça juste pour m'encourager.

*   *
*

Enfin, nous sommes arrivés au centre du monde. Là où la machine était posée. Celle qui fait tourner la vie. Une immense roue, comme celle d'un moulin, haute comme le ciel. Il y avait des centaines, des milliers de chiens à ses pieds, qui faisaient la chaîne. Des OS. Certains apportaient des seaux d'eau à d'autres qui les vidaient dans des réservoirs fixés à la roue. Et d'autres, enfin, faisaient tourner la roue, afin que l'eau parvienne de l'autre côté. Derrière, il devait y avoir quelqu'un pour la récupérer, des gens qui buvaient peut-être, car les réservoirs revenaient vides.

– Où elle va cette eau ? A quoi elle sert ? j'ai demandé.

– Elle sert à l'histoire du monde.

C'est tout.

J'ai rien compris.

– A quoi ?

– L'histoire du monde. Le monde qui tourne, quoi…

– Le monde qui tourne ?

– Écoute, César, tu me poses toujours des questions auxquelles je ne sais pas répondre. Tu le fais exprès, ma parole. Le monde qui tourne, c'est comme le temps qui passe, ça va, ça vient, ça avance…

J'ai rien compris. *Je n'ai rien compris*

Pendant que je réfléchissais, il s'est déshabillé et il a enfilé sa combinaison de <u>technichien</u> qu'il avait dans son sac. Il a enfilé ses pattes dans les manches et un casque sur la tête.

— Tu vois, cette roue, c'est comme la vie… Moi je suis ton père, mais ton grand-père était mon père et toi tu seras un jour le père de ton fils… la roue tourne, tu comprends ?

Je me suis esclaffé :

— Et elle tourne grâce à toi !

— T'as compris.

C'était le monde qui fonctionnait sous mes propres yeux et mon père était un travailleur du monde, quelqu'un d'utile. Peut-être même quelqu'un d'important. Je n'avais pas à avoir honte de lui. C'est cela que je comprenais.

Tout sourire, il a dit :

— Aujourd'hui, je crois que tu as compris quelque chose d'important dans cette vie de chien. Sauf que ceux qui bossent ici sont des inutiles…

Prends ça ! *cesa le dit   take that !*

J'avais tout à recommencer.

* *
*

Il a à peine fini sa phrase qu'une alarme s'est mise à hurler tout autour de la roue, déclenchant aussitôt un grand remue-ménage. Des OS aboyaient le malheur, des cris de la mort. J'ai interrogé mon père, il a dit qu'un chien avait été touché par les hélices, broyé par la roue. C'était son destin. Il allait mourir demain.

— Il faut appeler un médechien, j'ai dit.

— Ça ne se dit pas.

– Un chirurchien !
– Ça se dit encore moins.
– Un docteur !
– Ça, c'est pour les zumins. Ça ne s'accorde pas avec les chiens.
– Alors, il va mourir ?
– Comme moi un jour, comme tout le monde. C'est tout.

                              *   *
                                *

Sans transition, il a dit qu'il « devait y aller ». Il allait mettre la patte à la pâte. J'ai voulu le retenir, à cause de ma peur d'être orphelin, mais je n'ai pas pu bouger d'un poil. Je l'ai regardé s'en aller à sa routine et j'imaginais des catastrophes de vie, avec un mal de chien dans le cœur. J'ai serré les dents. J'ai aboyé. C'est sorti tout seul.

Il s'est retourné vers moi, alors qu'il s'apprêtait à se mettre à l'ouvrage. Il suppliait entre ses mâchoires :

– Allez, allez… retourne à la maison. Ne me regarde pas comme ça. Je t'en prie. Je ne pourrais pas gagner notre vie.

Je gardais les yeux béants. Comprenais pas.

Pourquoi fallait-il se battre contre la vie ? Qu'est-ce qu'elle lui avait fait, la vie ?

Quelqu'un a crié dans son dos :

– Allez, on pousse. Le temps passe. Le temps presse !

Un contremaître-chien. Il avait un compte-jours dans les mains.

Moi j'avais peur que mon père se fasse presser par le temps, comme le malheureux qui venait de trépasser. Il a obéi à l'ordre. Il a posé ses deux pattes sur la roue, au milieu d'autres pousseurs, mais en même temps je voyais bien que ses yeux tombant me demandaient de m'en aller pour qu'il puisse se concentrer.

J'ai aboyé en silence pour ne pas le faire pleurer. J'ai réuni des forces pour m'éloigner.

*   *
*

Quand je me suis retrouvé suffisamment loin de la roue, j'ai aboyé, aboyé tant que j'ai pu. Des zumins m'ont insulté, d'autres m'ont jeté des pierres. J'ai reçu une bouteille de bière sur la cuisse droite. J'ai eu très mal. Tout le monde en voulait à mon père que j'essayais de défendre. Heureusement, des chiens cousins ont aboyé avec moi pour partager ma peine.

J'ai couru jusqu'à chez moi. Ma chiotte de sœur et ma chienne de mère ont dressé leurs oreilles quand elles m'ont vu arriver haletant. « Qu'est-ce qui se passe ? » J'ai dit que j'avais fait une course avec mon copain Akim.

Emma m'a donné à manger. J'avais faim. En deux temps trois mouvements, j'ai englouti une assiette et je suis sorti de la niche pour aller chercher mon copain qui habitait à côté. Avec lui, je me sentais bien. J'oubliais les peines.

*   *
*

Akim et sa famille ont quitté l'Afrique, il y a belle lurette. Là-bas, les chiens n'ont que les restes des zumins à manger. Ça fait pas beaucoup. Là-bas, il n'y a pas grand-chose pour grossir, alors les zumins font la chasse aux chiens. Ils disent qu'ils portent malheur. Ils les visent avec les pneus de leur voiture. Quand ils ont une voiture. Sinon, ils leur jettent des cailloux.

Ici, ce n'est pas pareil, quand même. On ne meurt pas de faim. Les poubelles sont des restaurants de luxe. Dans les supermarchés, on a nos rayons spécialisés, avec boîtes de conserve, produits frais, vêtements toute saison, et pour les maîtres-chiens, ceux qui ont gagné contre la vie, il y a des salons de toilettage canin, avec brushing et permanente.

La société de consommation, quoi.

* *
*

Akim ne faisait jamais la gueule. Comme Nikita, il ne se posait jamais de questions. Il était content de vivre et de me retrouver. Il remuait la queue, levait la patte et pissait contre un arbre. S'en fichait de se faire traiter de « sale chien-retourne dans ton pays ».

Nous sommes allés nous balader rue du Jour-se-lève, en parlant de tout et de rien. Nous avons croisé une bergère allemande qui allait faire son marché, il l'a sifflée et il m'a dit en tortillant de la queue :

– Oh putain ! T'as vu un peu ça ?

Il ne pensait qu'à ça. Il haletait comme une bête, un vrai dessin animé. Moi je n'arrivais pas à me dégager de la roue.

* *
*

Akim a déniché dans une poubelle de quoi se faire un vrai buffet campagnard. Alors nous sommes allés nous installer dans le parc André-Malraux, au bord d'un lac artifi-

22

ciel et nous avons pique-niqué, tranquilles. Une belle
après-midi de chien. Mais à cause de l'image de mon père
qui ne voulait pas s'effacer, j'avais le goût amer.

– Akim, qu'est-ce que tu voudras faire quand tu seras
grand ?

Entre deux bouchées, il a dit :

– Technichien, mécanichien, des métiers qui servent…
et toi ?

– Créateur.

Il a fait un gros glourps qui a failli l'étrangler. J'ai expliqué que c'était un truc à base d'intelligence et de questions. Il s'est remis à bouffer comme si je n'avais rien dit.

Il a ajouté :

– Tu veux inventer le monde, quoi ?

Soudain, une femelle d'un genre irlandais est passée
devant nous, il a tout lâché d'un seul coup, il a poussé des
cris de guerre et s'est lancé à sa poursuite. A son derrière.

J'ai regardé la course, étonné. J'ai laissé faire.

Je suis parti, en abandonnant les restes de notre pique-
nique sur la pelouse.

A la vérité, moi aussi je pensais à *ça*, mais je ne le criais
pas sur tous les toits.

*   *
*

J'ai marché dans les rues, au hasard. Je n'étais pas bien.
Je suis tombé sur une école. Les enfants jouaient dans la
cour de récréation, piaillaient, couraient, se bousculaient :
de vraies fourmis. Ils m'ont aperçu devant le grillage de
l'entrée. Ils m'ont fait peur quand ils se sont mis à crier :
« Couché ! Viens ici ! Va-t'en ! mords-le ! » et plein d'autres
ordres et contrordres qui m'étaient familiers. Moi je ne

leur avais rien fait du tout. Je les observais juste pour voir leur vie. Et eux, ils me traitaient comme un chien voyeur. Je les ai regardés, déçu, mais ils étaient trop petits pour comprendre.

A quoi ça sert d'être intelligent, si on reste aveugle?

Je me suis sauvé. Tête basse. Cœur au plancher.

*　*
*

J'ai retrouvé Akim entre deux poubelles.

– T'es bête, t'aurais dû me suivre, il a dit. On s'est bien amusés dans l'herbe. Oh, putain!

Je n'ai pas parlé. Il m'a demandé où j'allais. Je ne savais pas.

– T'es chiant! il a dit. T'es jamais là, t'es toujours ailleurs.

Je suis rentré à la niche. Nikita espionnait les enfants de nos maîtres qui jouaient à un jeu dessiné sur le sol, entre une terre et un ciel crayonnés en blanc. Elle ne m'a pas vu arriver. Je voulais l'avertir que notre père faisait tourner une roue à longueur de journée, juste pour gagner notre vie, qu'il risquait de se faire presser par les temps qui courent, juste pour gagner notre vie, qu'il fallait qu'on trouve un moyen de le sortir de cet engrenage. Je n'ai pas eu le courage.

Dans la niche, ma mère faisait sa toilette. Elle a tout de suite senti mon chagrin.

– Qu'est-ce qui fait mal à ton cœur?
– C'est papa.
– Tu as vu la roue?
– Oui.

Je lui ai dit que je ne ferais jamais tourner cette maudite chose qui tue les chiens, que j'irais jusqu'au bout du monde pour pouvoir choisir ma vie. Elle a souri et, dans ses yeux, il y avait des nuages tristes. Je me suis approché d'elle et je me suis blotti contre son ventre.

– On peut être heureux entre nous, elle a dit. C'est cela le pays du Bonheur.

Nikita est arrivée, elle nous a vus en pleine tendresse et elle est venue prendre sa part. Nous étions bien. Il faisait chaud et doux tout autour.

Je me suis levé. J'ai dit :

– Je vais aller le chercher, sinon la roue va nous le prendre.

Elles n'ont rien compris. J'ai emballé soigneusement quelques affaires et salut la famille.

* *
*

Sur le chemin, j'ai croisé Akim qui chassait encore l'amour sauvage.

– Où vas-tu d'un pas si décidé? il a fait en parlant soigné.

– Sauver une vie.

– Et pour qui il est, ce *doggy-bag* que tu tiens là?

– Pour mon père. Il a donné le sien ce matin à des chiens qui s'envolaient au pays du Bonheur…

J'ai vu ses yeux qui faisaient le grand écart. Je l'ai laissé comme ça au milieu du chemin.

– Il faut que j'y aille. Le temps presse.

Je me suis mis à courir.

* *
*

Je regardais les gens que je croisais dans la rue. Ils avaient un air pressé, rigoureux, ils comptaient le temps qu'il leur restait. J'avais envie de monter sur une poubelle et les prévenir d'en haut : « Eh ! Mesdames et messieurs, mes frères, mes sœurs, vous vous agitez pour quoi ? Pour rien. Chacun de vous aura son dernier jour, il y en a pour tout le monde... » Je n'ai rien fait.

A un feu rouge, une fourgonnette de la police des chiens a pointé son capot menaçant. Des membres de la Brigade Anti-Errants. Des méchants qui vous coursent dans les rues, façon chasseurs en safari au Kenya. Je me suis caché derrière un platane, le temps que le feu passe au vert. Il y avait un chien collaborateur à l'intérieur. Peut-être un renifleur de drogue.

Pourquoi les chiens font-ils toujours des métiers de service ?

Gagner sa vie. A nouveau, j'ai eu un début de rage. Perdre sa vie ? Je me suis dit, un jour, faudra que j'écrive un petit mot à cette dame la vie. Je mettrai dedans : madame la vie, vous êtes une putain ! Pourquoi tant de gens se battent en duel contre vous ? Vous appelez les pauvres au fond de la mer et après leurs poumons n'ont plus que de l'eau salée à respirer. Moi, vous ne m'aurez pas.

Un jour, j'écrirai cette lettre. Je l'enfouirai dans une enveloppe, puis je la brûlerai et je dirai au vent : vas-y, emporte ces mots de cendre vers leur destin. Dis-lui que je n'ai pas peur de l'appeler « putain ».

J'ai levé la patte arrière droite et j'ai pissé contre la roue d'une voiture en stationnement. Je n'ai pas vu exactement la marque de cette automobile, seulement la couleur,

noire, métallisée. Mais j'ai nettement reconnu le cuir de la chaussure, pointure 42-43, qui est venue s'écraser contre mon abdomen, un ballon de football. Il y avait un commentaire avec, celui du propriétaire de la voiture noire :

— Sale race !

La douleur a inondé mon cervéau, une vraie brûlure, une décharge électrique. Un hurlement est sorti de ma gorge. J'ai cru que l'homme m'avait coupé en deux. J'ai regardé vers mon train arrière, toute la carrosserie était là, alors j'ai détalé en un coup de reins. Même pas eu le temps d'essuyer la goutte.

J'ai eu peur. Pas pour moi. Si le type m'avait arraché la moitié du corps, s'il m'avait éteint, qui aurait pu arrêter la douleur de ma mère, qui m'a fait avec toutes ses peines, qui a mis tout son cœur pour m'éjecter de son ventre sain et sauf ? Qui ? C'est pour cela que je me suis sauvé. Je devais rester César en entier. Sinon à quoi ça sert de m'avoir fait, si c'est pour se donner en pâture aux chaussures et aux pneus de voitures ?

J'ai couru droit devant, « le vent sifflant dans ma chevelure », sans regarder le décor. J'ai traversé des rues, des carrefours, sauté des choses, bousculé des jambes, avec mes ailes, et quand j'ai senti que le danger était loin, j'ai fait escale dans un terrain vague, la langue pendante, la bave coulante. Mes poumons enflaient comme des montgolfières. J'ai posé mon arrière-train sur l'herbe grasse et puis mon corps et ensuite ma tête et j'ai fermé les yeux. La présence de la chaussure du monsieur résonnait dans mon ventre.

Un jour, tous les chiens battus se révolteront.

Sur l'écran de mes yeux clos, une sorcière terroriste prétendait qu'elle allait éteindre mon père si je n'acceptais pas de me battre en duel contre elle. Je me suis réveillé pour

desserrer son étreinte et je suis retourné sur les trottoirs de la ville. Des traces rouges me suivaient, goutte à goutte. Le coup de pied m'avait fendu le cuir. J'ai léché la source de sang pour colmater la brèche, mais ça coulait quand même.

En tournant la tête, mes yeux sont tombés sur un malheur. Le casse-croûte que j'avais pris pour mon père n'était plus accroché à mon dos. Je l'avais perdu dans ma course. Impossible d'aller voir mon père sans *doggy-bag*. J'ai tourné plusieurs fois sur moi-même pour trouver une solution. Des tours pour rien.

* *
*

En turc, on dit *doner kebab*. Ça sent cruellement bon ! Le jeune homme d'Anatolie, derrière son comptoir, qui découpait avec son immense couteau ce grand cône de viande grillée et si appétissante, avait l'air humain. Je me suis approché de lui. J'ai planté mon regard dans le sien. J'ai mis beaucoup de douceur et de pitié dans mes pupilles pour lui faire comprendre. Je suis resté comme un mendiant du regard, en face de lui. Il a fait semblant de ne pas s'intéresser à moi. Mais ma présence était dans la sienne. Je le sentais. Il était mon prisonnier. J'attendais juste qu'il cède.

Je me suis trompé. Le jeune homme a balancé une boîte de Coca-Cola dans ma direction, en crachant des mots durs, comme si j'étais de la peste qui allait infecter ses *doner kebab* pourris, alors que moi je voulais simplement un petit bout de pas grand-chose pour l'estomac de mon père.

28

J'ai fait un pas de côté pour éviter la ferraille *made in USA*. Je n'ai pas demandé la monnaie. J'ai laissé tomber. J'étais sûr que le jeune allait se dire dans sa tête : si je donne à manger à ce chien, il va revenir demain avec sa smala. Il ignorait que je n'avais que Nikita comme sœur.

Je devais vraiment avoir une sale gueule.

Les rues étaient pleines de jambes qui marchaient. J'ai croisé à ma hauteur quelques frères, solidement attachés à leur laisse, qui faisaient du service d'accompagnement. Les chiens et leurs maîtres ont souvent le même air. A part la laisse. Parfois, on ne sait pas qui tire qui. Et moi, ai-je le même air que mes propriétaires ?

Je suis passé devant les Galeries Lafayette. Il y avait trois chiens garés devant la porte d'entrée. Attachés, sages comme des images. Je me suis installé devant eux, au bord du trottoir, j'ai écarté les deux pattes arrière et j'ai commencé à pousser sur mes intestins. Juste pour faire chier le monde. Ils ont d'abord regardé mon cinéma comme si j'étais une maladie.

— Regardez-moi ce dégueulasse ! a pesté l'un.

— Salopard ! Tu peux pas aller faire tes cochonneries ailleurs !

— A cause des pouilleux comme toi, toute notre race est mal vue ! a fait le dernier avec des traces de dégoût dans la voix.

Aucun commentaire. Ça les a rendus encore plus enragés. J'ai pris le temps de finir ma besogne et après j'ai reniflé un coup pour bien les dégoûter jusqu'à la rate. J'ai poursuivi mon chemin, les épaules bien droites. C'était juste pour me soulager. Un besoin.

Ils aboyaient comme des toutous pour alerter la police des mœurs. Il en fallait plus pour m'impressionner. Une seule question m'occupait : où allais-je trouver à manger pour mon père ?

Je suis arrivé devant un café, *Aux très bons copains.* J'avais soif. J'aurais pu me rendre directement au comptoir, sourire à la serveuse et demander avec des mots simples un verre d'eau. Mais à cause de cette affiche INTERDIT AUX ARBRES ET AUX CHIENS, collée à côté du plat du jour, j'ai eu une retenue. Il y avait le dessin d'un frère rayé d'une croix rouge. Fallait pas être ingénieur pour déchiffrer ces hiéroglyphes. La serveuse est sortie sur le seuil de la porte qui ouvrait sur la rue comme dans un roman de Zola. Elle n'avait rien de Gervaise. Elle m'a remarqué, sans me voir. Elle tenait ses jambes écartées, à la manière d'un sergent sur le point de conduire une inspection. J'ai pensé aux cuisses écartées de Madame Natacha quand elles serrent mes oreilles de plus en plus fort.

– Pourquoi tu me regardes comme ça ? Tu veux ma photo ?

J'ai rougi. Je n'ai jamais su admirer les femmes sans craindre d'être pris pour un chien.

Je me suis excusé.

– Je ne vous regarde pas comme ça. J'ai soif.

– T'es jamais allé à l'école… ? Tu sais pas lire ?

De la haine froide dévalait de son front jusqu'au cou. Sa bouche était voûtée contre son menton pointu. En dessous de *Plat du jour,* je pouvais deviner ce qui était écrit : *côtes d'agneau aux herbes, gratin dauphinois.* J'avais bien reniflé le menu. J'avais la bouche en eau.

J'ai fait :

– L'école, c'est pas fait pour les chiens.

Elle a froncé les sourcils.

– Qu'est-ce qu'ils vous ont fait, les chiens ? Pourquoi vous nous interdisez ? Je ne vous ai rien fait, j'ai juste soif.

Elle a viré au rouge vif.

– On en a marre de vous nourrir et de vous abreuver !
On vous aime pas, c'est tout !

C'était tout ce qu'elle avait à dire avec sa bouche. Mais
le reste de son corps avait encore beaucoup de choses à
exprimer, tant de venin à distribuer. De ses cheveux jusqu'à ses escarpins, c'était une montagne interdite d'accès,
un champ de mines.

– Mon père a toujours servi docilement, j'ai dit sans
brusquer les mots. Vous pouvez demander à Monsieur
Lefrançois, c'est mon propriétaire…

– J'en ai rien à foutre de ton père et de ton propriétaire !
Vlan.

Elle ne voulait rien entendre. J'avais une envie secrète
de me glisser sous sa robe pour lui mordre le sexe.

Elle a sorti ses dents :

– Va mendier ailleurs. J'aime pas les grandes gueules.

Le sang m'est monté à la tête, j'ai aboyé à la mort et je
me suis sauvé en courant loin de ce putain de café des *Bons
copains*.

*   *
*

J'ai bu l'eau d'une flaque. Au milieu se reflétait un parc
en entier, avec ses arbres, ses pelouses, ses pigeons et un
grand ciel gris comme chapeau. Quand je me suis redressé,
j'ai aperçu sur un banc une mère et son enfant qui devait
avoir sept ou huit ans. Elle lisait certainement un roman
d'amour, ça se voyait dans ses yeux, pendant que lui,
balançant ses jambes, parlait à mi-mot à des pigeons qui
faisaient leur marché à ses pieds. Il avait posé son sandwich jambon-beurre à sa gauche, au bord du banc, obser-

31

vant les oiseaux gris des villes emballer les miettes de pain. On ne pouvait pas vraiment savoir si le sandwich était laissé à l'abandon ou en attente.

J'ai cherché des issues de secours. Ensuite je me suis approché du petit, par-derrière, à pas de loup. Dans ma poitrine, des tambours résonnaient pour une danse africaine. Dans une minute, j'allais entrer en transe. Je marchais au ralenti. Tous les oiseaux du parc m'épiaient depuis leurs branches. Arrivé au banc, je suis resté immobile pendant une poignée de secondes. L'enfant murmurait une comptine que je connaissais : « J'ai descendu dans mon jardin, pour y cueillir du romarin, gentil coquelicot mesdames... » La mère était recouverte d'un grand silence. J'ai hésité. Il était encore temps de rebrousser chemin. Mais le geste est parti tout seul. J'ai lancé mes mâchoires sur le sandwich, je l'ai serré entre mes dents et après je n'ai pensé qu'à une chose : m'enfuir très vite. Je savais bien que l'enfant ne pouvait pas me suivre, ni sa mère. Mais c'est la honte qui me propulsait. Je ne voulais pas me voir en train de voler à manger.

Au bout de deux milliards de kilomètres, je me suis arrêté. J'ai regardé devant, derrière, personne. J'ai ramassé par terre un sac plastique de supermarché, j'ai mis dedans le sandwich du petit et je l'ai pendu à mon cou. Je n'étais pas fier de moi. J'ai continué ma route vers la roue. La maman qui lisait un roman d'amour plein les yeux allait bien trouver de quoi acheter un nouveau sandwich à son petit. Fallait plus y penser. Voler c'est voler, rendre c'est stupide. Le sandwich s'appelait maintenant hot dog-chien chaud.

*   *
*

Encore mal aux côtes.

Je suis passé au bord du fleuve, là où il y a beaucoup de péniches amarrées. Un peintre était assis là, son tableau déjà bien dévoilé. Un vrai travail de créateur, ça se voyait surtout au soleil carré qu'il avait inventé. Pourquoi un soleil carré ? Je voulais poser cette question. Mais ses yeux ne savaient faire que des allers-retours concentrés entre la vie et sa toile. L'homme-couleurs ne laissait aucune place aux autres dans son monde rectangulaire. Lui, il savait ce qu'il avait à faire. Moi aussi, je commençais à apprendre : je voulais faire sauter la roue.

* *
*

Putain de roue !

Elle était plus grande que le monde. Impossible de la détruire en solitaire. Il fallait toute une armée avec Akim et ses cousins et les cousins de ses cousins, et on viendrait pendant la nuit pleine de lune pour y voir clair et on foutrait des explosifs dans son cœur et on se mettrait à l'abri dans un coin pour admirer le feu d'artifice.

Je me suis posé au bord d'un talus. J'ai essayé de localiser mon père, au milieu des milliers de travailleurs qui activaient la machine. Ils étaient tous habillés pareil, pas beaux, et ils marchaient plus vite que des fourmis, avec leurs seaux à la main. Impossible de voir mon père dans cette marée. Je me suis faufilé plus près, derrière un buisson. De là, j'entendais clairement les voix, les murmures, les plaintes, et les ordres qui claquaient au milieu comme un fouet. J'ai scruté pendant de longues minutes. Plusieurs fois, j'ai cru l'apercevoir et j'ai appelé : papa ! mais il ne se retournait pas. Ce n'était pas lui. Lui, il aurait entendu le crissement des étoiles filantes.

Au bout d'un moment, j'ai commencé à désespérer. Il était noyé dans cette cohue, avec le ventre vide depuis ce matin. Et soudain, un de ses collègues m'a vu. Celui qui venait de temps en temps dans notre niche, il y a long-temps. Son nom m'échappait. Il est arrivé vers moi et m'a demandé, inquiet, ce que je faisais là.

– J'apporte un chien chaud pour mon père. Y a du jam-bon dedans.

Il a souri. Ses yeux étaient coulants et ils n'y voyaient plus que du trouble. Il a passé une patte sur mon dos frisé et s'est mis à me caresser pour me rassurer. Ahmédéor, il s'appelait. Je me souvenais, à présent.

– T'es un superchiot, il a dit en essuyant la sueur de ses yeux fuyants. J'aurais bien aimé en avoir un comme toi.

Je suis resté gueule bée. J'étais certain de ne dire que des mots de trop. Il m'a demandé d'attendre à ma place, bien caché, il allait de ce pas prévenir mon père. Et il est parti. La fatigue tirait son corps par terre. Je me suis demandé combien de temps il avait à vivre devant lui, Ahmédéor.

Je l'ai accompagné du regard pour voir à quel poste travaillait mon père, quand tout à coup je l'ai vu de mes propres yeux. Par réflexe, j'ai failli sortir de ma cachette et me lancer dans ses bras et l'embrasser dix mille fois, à me brûler les lèvres. Le contremaître-chien battait la cadence de la roue juste devant lui :

– On se presse ! On se presse ! Le temps passe ! il répé-tait froidement.

Et mon père qui devait être à bout de souffle, affamé. Il devait jouer son rôle avec sa vue brouillée, alors le contre-maître-chien lui a donné un coup de fouet en plein sur le cou. J'ai entendu jusque dans mes oreilles sa douleur. J'ai répondu presque en même temps, tellement j'ai eu mal aussi. Malgré les coups, il n'avait pas le droit de bouger d'un pouce. Pas le droit de lever les yeux sur le chef. Je me suis tapé la tête plusieurs fois par terre, pour dégorger ma colère.

– On se presse ! On se presse ! Le temps passe, le temps passe ! scandait le teneur de fouet.

Je ne perdais rien des yeux. Tout ce qui se déroulait serait enregistré pour toute la vie et chacun payerait ses méfaits. Le mieux payé allait être le contremaître-chien, je m'en léchais déjà les babines. Les tisons que j'allais lui enfoncer à petits feux dans le regard seraient en fusion.

Ahmédéor est arrivé vers mon père. Il lui a glissé des mots à l'oreille. J'ai vu sa tête pivoter d'un coup sec dans ma direction comme si j'étais un soleil carré au-dessus d'une mare de boue. Brusquement, mon père et moi nous étions seuls au monde, nos regards mélangés. Ma queue balayait l'air dans tous les sens. Il m'a d'abord fait comprendre de patienter un instant, puis de me dissimuler derrière le bosquet. Il ne fallait pas qu'on me découvre. Je me suis fait tout petit, après, je ne voyais plus rien. Mais j'entendais encore la voix des ordres :

– Allez, allez ! On pousse ! Le temps presse, le temps passe !

Putain de roue. J'allais lui casser la gueule en mille morceaux.

*   *
*

Il est arrivé vers moi longtemps après. Je me suis jeté sur lui les yeux fermés et toute mon enfance est remontée à la surface. Le jour où mes parents ne seraient plus là, comment on allait faire, Nikita et moi ?

Je suis resté contre lui.

– Qu'est-ce que c'est cette blessure dans ton dos ? il a demandé.

Il parlait des restes de coups de chaussure.

– Une erreur de conduite, j'ai dit. Rien de grave, ça me fait même pas mal du tout.

– Je n'aime pas bien ce genre d'erreur de conduite, il a dit.

Il la léché le sang pour me nettoyer, ou me soulager. Se soulager, aussi.

Puis il a poursuivi :

– Tu es fou d'être revenu ici. Ça me fait du souci. S'ils se rendent compte qu'Ahmédéor a pris ma place, je risque gros. Après, c'est l'engrenage.

Je détestais entendre ces mauvais présages. J'ai grogné.

J'ai sorti le hot dog-chien chaud de mon sac et je lui ai tendu : tiens ! Il a dit : qu'est-ce que c'est que ça ? alors qu'il voyait très bien que c'était un joli hot dog presque parfait avec une succulente tranche de jambon qui paradait en rose à l'intérieur. Tout ça, c'était l'émotion qui parlait dans sa bouche. Je ne disais rien. Je pouvais difficilement garder les yeux sur les siens, parce que je voyais qu'ils viraient au rouge sentimental.

– Comme tu as donné le tien, ce matin, aux chiens qui partaient à l'aéroport, j'ai pensé que tu pourrais avoir faim dans la journée. Alors, voilà.

Il voulait parler, mais il n'y avait plus de muscles pour tenir sa gueule ouverte. J'étais heureux partout. Il a commencé à manger. Il avait faim, mais il faisait comme s'il sortait d'un restaurant Grande Table du guide Michelin : arrivé au milieu du jambon, il a fait celui qui était rassasié, qui n'en pouvait plus tellement il se goinfrait, il a roté :

– Ben dis donc ! J'ai trop mangé, moi. Ça doit coûter

une fortune un hot dog comme ça ! Où l'as-tu trouvé ?

J'ai répondu que c'était un enfant qui avait préféré me le donner au lieu de le jeter dans une poubelle. J'ai ajouté qu'il pouvait tout finir parce que je savais qu'il avait très faim, moi j'en avais mangé plusieurs dans la journée. Il a souri et il a englouti la suite du plat en un quart de seconde. Puis il a déclaré :

— Faut que j'y aille !

Pour la deuxième fois de la journée, le destin me forçait à regarder mon père retourner dans l'engrenage de la roue.

J'ai crié derrière ses oreilles :

— Papa ! Fais attention aux hélices !

Il a souri, je crois.

J'ai à nouveau crié :

— Papa !

Je ne savais plus quoi dire.

J'ai bien vu qu'il pleurait. Il s'est vite caché pour ne pas me laisser voir.

Il a disparu dans la cohue. Je me suis alors approché de la roue pour bien photographier les lieux. Je savais que c'était strictement interdit sous peine d'amende et de poursuite. M'en foutais pas mal ! Moi je voulais le prendre, l'enlever et le ramener de force à la niche pour vivre avec les siens les restes de son âge. Au chaud. Nous aimer à sa faim.

*   *
*

De cette roue, je ne voyais pas le sommet, tellement il s'enfonçait dans le ciel. Je me sentais écrasé à ses pieds, à des millions d'années-lumière, comme devant Neptune, Pluton ou Jupiter. Tout autour, avec les clameurs des chiens esclaves qui mugissaient de douleur, on entendait les grincements des mille pièces de ferraille qui permettaient au temps d'avancer. Ça ressemblait à une horloge astronomique où s'entremêlaient, dans un ordre parfait, chaînes, courroies, tiges, roulements à billes et surtout les engrenages, innombrables roues dentées de toutes les tailles qui glaçaient mon sang. Elles avaient un rythme inoxydable. Je devinais mon père pris dans ces lames acérées, englouti, broyé, déchiré, et soudain le blanc de ses yeux intérieurs viraient au noir.

Cette machine était un monstre vivant. Elle buvait le sang des chiens. Derrière tous ses organes métalliques, guettaient des yeux dédaigneux, un nez en tour Eiffel, une bouche de requin sans lèvres avec des dents d'acier dedans. Un bon paquet d'explosifs en plein cœur, voilà ce qu'elle méritait. On allait entendre l'écho de ses douleurs jusqu'à Mercure. Orages et éclairs provoqueraient des inondations partout, éventrant les barrages ; il n'y aurait plus de maisons cinq étoiles, de niches, de cages à poules, seulement des débris flottants dans la colère des torrents qui envahissaient les rues et les avenues comme les foules de manifestants.

J'ai vu Ahmédéor à la peine. Comme les autres, il transportait des seaux d'eau pour abreuver la roue. Il plissait les yeux à cause des coups de trique que lui assenait le contremaître-chien, collé à ses pattes et qui vociférait :

– Sale chien ! Tu crois que le Temps va t'attendre ?

Mais de quoi parle-t-il ? me suis-je demandé. Il a remis deux coups de bâton sur la queue d'Ahmédéor qui serrait les dents pour l'honneur et la survie. Il pliait l'échine à cause de la brûlure sur la peau, mais il avançait toujours, les seaux à la main. Mon père est passé juste à côté de lui. Sans le regarder. Peur d'être battu à son tour.

Le contremaître-chien avait des yeux globuleux, très

noirs. Je me suis vu en train de les arracher avec les ongles et balancer son regard au fond d'une rivière. Mais pourquoi mon père et Ahmédéor et tous ces chiens, gardés par une poignée de surveillants, ne se révoltaient-ils pas ? Ce n'était pas à moi, chiot en duvet, de montrer aux grands les chemins de la liberté.

Pauvre Ahmédéor, il boitait de l'arrière. Il a vidé ses seaux dans un des réservoirs de la roue et il est retourné, tête basse, les remplir. Je ne voulais pas revoir mon père dans ce piège. J'ai fermé les yeux, j'ai fait demi-tour et je me suis enfui.

– Activez ! Poussez ! De l'eau ! Il nous faut de l'eau ! scandaient les ordres, entre des coups de bâton.

La roue et tous ses organes vitaux reposaient sur deux piliers. Un bon endroit pour placer une charge.

* *
*

Les morts, c'est pas beau à voir. Avec leur regard qui ne regarde plus rien, leur corps qui ne sert plus à rien, tout sec et tout droit. Avec leur cœur crevé qui ne se bat plus pour gagner sa vie.

Le broyé de la roue s'appelait Hercule. Il vivait dans un taudis après Nanterre, dans ces endroits où l'on n'est ni en ville, ni à la campagne, dans un terrain vague comme un océan. Mes parents, Nikita et moi, on est allés à la fête du mort. C'était pour avoir un dernier souvenir de lui, qu'on garderait avec nous pour le restant de notre vie. Ma mère a apporté un gros morceau de viande pour la veuve et ses enfants. Un vrai cadeau de riches, alors qu'on était de vrais pauvres.

Sarah, la veuve, est belle et jeune. Elle ne comprend pas

pourquoi ON lui a enlevé son Hercule qu'elle n'avait pas fini d'aimer. Elle n'arrête pas de poser des questions en lançant son regard vers le toit de sa niche, là où s'arrête le ciel. Elle parle à la vie, comme moi. Elle maudit :

– Pourquoi tout le monde veut te gagner, maudite chose, alors que tout le monde finit par te perdre ?

Ses questions sont trempées de douleur. Et, dans la niche, tous les gens sont suspendus au silence. Sarah sort sur le seuil de sa demeure et hurle à la mort comme seuls les chiens savent le faire. Ses chiots s'agrippent à sa peau, tellement la peur leur donne froid. Ils pleurent pour que leur mère cesse de pleurer. Alors tous les gens se mettent à pleurer, alors que tout le monde cherche à arrêter. Dehors, au loin, les cousins chiens entendent la douleur de Sarah et lui renvoient son écho, en partage. Et puis, tous les chiens sortent et se mettent à aboyer, la gueule tendue vers le cours du temps. Il y a de l'orage dans l'air. Les rideaux laissent passer les courants d'air, le linge pendu aux étendages fait des signes d'adieu. Maintenant, Hercule est vraiment monté au ciel. C'est fini.

Un des chiots d'Hercule a réclamé à manger. On lui a dit de patienter. En attendant, il a demandé :

– C'est quand qu'il va revenir, mon papa ?

Il y a eu d'abord un silence en trompe l'œil, puis une chiotte a répondu :

– Il est mort.

Le petit a fait des yeux circulaires :

– C'est qui qui l'a mordu ?

Sarah a entendu et elle a éclaté d'un rire nerveux. Elle a crié :

– Mais qui c'est qui l'a mordu ? Qui c'est qui l'a mordu ? Mais c'est la vie, mon petit ! C'est cette vie de chien qui l'a mordu !

Et voilà, elle s'est remise à couler en larmes. Deux amies l'ont aidée à porter son mal. Akim et moi on se regardait et on se recevait cinq sur cinq. L'odeur de la viande que des chiennes cuisinaient a commencé à se répandre dans la niche. Et à torturer mon estomac. Mais il n'y en avait pas assez pour tout le monde, alors j'ai fait un signe à Akim. Nous sommes sortis.

– Tu vois, j'ai dit, Hercule a travaillé presque quinze ans à la roue, la vie lui a échappé des mains et maintenant ? Que vont faire ses enfants ? C'est pas son souvenir qui va remplir leur ventre.

Je parlais à un mur. Chaque fois que je lui posais des questions sur la roue, il ne comprenait plus rien. Il envoyait son esprit en hibernation.

– Ton père est toujours guide pour aveugle ? j'ai demandé.

– Oui.

– Il est heureux ?

– Qu'est-ce que c'est ?

– Si un jour il devient aveugle, qui c'est qui va le conduire dans les rues ?

Il s'est renfrogné. Bouche cousue.

* *   *

Les chiens apprennent dès la naissance à sentir leurs amis, leurs ennemis et les autres. Moi je sais déchiffrer tous les types de lueur dans les yeux. Des fois, chez les zumins, je sais quand je peux passer et quand je dois faire un détour pour éviter un danger de mort.

Akim et moi, nous avons beaucoup marché dans les rues de Nanterre, entre des jambes et des poubelles, à la recherche de sandwichs pas finis. C'était comme trouver des truffes en forêt amazonienne, de nuit. Même devant l'entrée du McDonald, impossible de dénicher une miette dans les papiers froissés.

— J'ai envie de confiture de myrtilles, j'ai dit.

— Et moi d'une entrecôte maître-d'hôtel avec du chouettekup ?

— Du ketchup !

— Du chouettekup !   nice/cabbage

Laisse tomber. D'un rêve à l'autre, nous sommes parvenus devant une certaine échoppe où l'on vendait des *doner kebab* à vingt francs et d'où l'on balançait des boîtes de Coca-Cola sur les chiens affamés mendiants. Je reconnaissais cet endroit au fumet que dégageaient les morceaux de viande grillée empilés en cône face au feu.

— Oh putain ! Tu sens ça ? a fait Akim.

Ses naseaux étaient en alerte maximale.

Je me suis installé en position accroupie arrière, sur le trottoir juste en face du restaurant Antalya qui faisait des *doner kebab* interdits aux chiens, même les pas méchants. J'ai lâché une belle crotte vengeresse. Le serveur a hurlé une insulte contre la race de mes ancêtres et je l'ai vu bondir sur moi en brandissant son couteau de boucher pour me tailler en tranches et m'empiler sur son cône. Envolé, le César. Je sentais Akim qui courait juste derrière moi en aboyant :

— Oh putain, mais t'es con ! Tu pourrais m'avertir…

A la pause, j'ai avoué que j'avais un compte à régler avec le vendeur de *doner*.

— Je veux pas que tu m'entraînes dans ta guerre à la mords-moi-la-queue, il a gueulé.

A peine sa phrase terminée qu'une voix d'enfant-vieux dirigée contre moi s'est mise à lancer une série de « c'est lui ! c'est lui ! » et ces deux mots étaient comme des balles de fusil avec ma tête comme cible. Un enfant hystérique dont le visage connaissait du monde dans ma mémoire me braquait du doigt, entouré de ses petits copains et de la Brigade Anti-Chiens-Errants. Ils voulaient me convier à une surprise-partie. J'ai cherché Akim : les ailes qui venaient de lui pousser l'avaient déjà emmené à mille lieux d'ici.

– C'est lui ! J'en suis sûr et certain. Il m'a piqué mon sandwich ! C'est un voleur, arrêtez-le ! Au voleur !

C'était l'enfant au sandwich. Il m'avait semblé si petit ! Et le voilà à présent qui me barrait la route avec son escouade de policiers qui allaient jouer au baise-boule avec leur batte à la main. Une ratonnade. Leurs regards étaient en furie, les bouches tordues de haine.

– Cette fois, on va te pendre par les couilles, sale chien !

– Tu vas le recracher, mon sandwich.

– Allez, viens, sois gentil, fais pas le caïd, disait un brigadier Safari-Kenyan.

J'étais soudé au trottoir. Impossible de remuer une patte. Sais pas pourquoi. Quelqu'un avait peut-être expédié en traître une piqûre dans ma peau, avec une sarbacane ni vue ni connue. J'errais sur la banquise au milieu des ours blancs, dans un froid à casser les dents. A l'intérieur de mes oreilles de pierre, une voix maternelle m'envoyait un message SOS en pleurs :

– César, pour l'amour du ciel, essaie de t'enfuir, remue tes pattes, vite, sauve-toi ! Ils vont tout t'abîmer. César, m'entends-tu au creux de ton oreille ? Ils vont te tuer...

J'entendais bien. J'essayais de réunir deux ou trois fragments de force pour m'envoler. Rien à faire. Je regardais froidement avancer la marée noire vers moi. J'avais déjà mal partout.

43

Avant, comme une ultime bouée de sauvetage, je me suis dit que je pouvais encore pousser un aboiement plus fort qu'un barrissement et que des milliers de frères chiens allaient rappliquer à mon secours. J'ai essayé. Je poussais sur tous les bouts de mon corps. Peine perdue.

Après, j'ai entendu le brigadier dire aux enfants :

– On vous le laisse d'abord pour vous amuser et on l'embarque après, au centre de redressement...

*   *
*

J'ai essayé de me défendre.

– S'il vous plaît, ne me faites pas mal, j'ai un numéro d'enregistrement, j'ai mes papiers, je suis en règle avec la société. *Interrogation torture par police*

Un brigadier a répondu en se moquant de ma peur :

– On va faire du bien à la société en la débarrassant d'une ordure comme toi. On va s'offrir une bavure, une rare. Regarde tous les témoins qu'on a autour de nous.

Tous les enfants de zumins ont fait un signe de la tête. J'ai fermé les yeux pour ne pas voir venir l'orage. D'abord, j'ai senti la lourdeur d'une batte de baise-boule qui s'écrasait derrière mon oreille droite. Mon cœur retransmettait l'émission en direct, une vraie échelle de Richter. Derrière mes yeux clos défilait un univers avec des soucoupes volantes à plusieurs bras articulés, des étoiles filantes, des éclairs, des météorites. J'entendais aussi des cloches et des oiseaux, mais les cloches étaient beaucoup plus nombreuses.

Après, sont arrivés les coups de batte suivants. Différents des coups de pied, plus légers. Il y avait aussi une chaîne de vélo qui voltigeait par là.

Un violent coup sur ma patte arrière droite m'a fait basculer. J'ai entrouvert les yeux un instant et je les ai refermés aussitôt. J'ai vu des visages déformés qui étaient en train de s'offrir leur première mort. Je sentais un liquide chaud qui m'enveloppait insidieusement. Mes veines s'étaient ouvertes.

Quand je me suis retrouvé dos à terre, je me suis dit : pourquoi je ne me défends pas ?

Alors les coups sont tombés sur mon museau et mon crâne, que les tueurs gardaient pour le dessert. La douleur était plus sensible qu'ailleurs. Maintenant, même avec les yeux ouverts, je ne voyais plus rien. Le sang faisait rideau. Une grosse chaussure, frappant par deux fois, a fait sauter une série de dents dans ma mâchoire supérieure. J'ai vomi.

Je me suis accroché aux images souriantes de mes parents et de Nikita, avant de tomber dans un précipice. Une chute brève, un soulagement. Les voix et les coups se sont éloignés vers le large ; les assassins m'abandonnaient dans cet état stationnaire. Ensuite, une main a appuyé sur un interrupteur : les soucoupes volantes, les comètes et les météorites ont disparu. Je me suis retrouvé seul à seul avec le silence.

*   *
*

Je ne pensais pas à moi. Mais à tout le reste, les autres. Les miens.

J'ai repris connaissance. J'ai ouvert les yeux. Le sang séché sur ma peau était une cuirasse. Je devais avoir l'air d'une Afrique en état de sécheresse ocre. Je n'étais plus entier. Les battes de baise-boule m'avaient séparé en pièces détachées.

45

Des voix ennemies se faisaient entendre à nouveau. Je suis revenu à la vie en direct.

– Ici, c'est parfait, jugeait un type.

– J'espère qu'il l'a bien digéré, mon sandwich-jambon.

– Chez EUX, on dit hot dog ou chien chaud, a précisé un brigadier. Ils ne parlent pas comme nous, ces bâtards.

– Ils mangent du jambon ? C'est pas interdit par leur religion ?

– Nom d'un chien, a dit un autre, si on avait attrapé son collègue on en aurait eu un chacun... mais comme convenu, celui-là il est à vous, cadeau. Nous, on intervient après... dans le constat, on marquera qu'il a été apparemment heurté par un véhicule...

– ... en stationnement !

– ... les marques autour du cou, qu'est-ce que vous allez dire pour ça ?

Il y a eu un moment de réflexion, puis un brigadier a conclu qu'il allait se débrouiller pour trouver une formulation adéquate.

On m'a traîné sur quelques mètres comme un matelas pourri, plein de puces. Par les oreilles. J'ai eu encore la force d'avoir mal. Ça déformait tous les sons qui se présentaient à l'entrée de mes tympans.

– Ça fera comme un lynchage dans un film de western, a lancé un brigadier cinéphile.

– Pendez-le haut et court !

– Pourquoi haut et court ? Si on le pend, ce sera forcément long ! Moi, j'ai jamais compris ça.

– Pendons-le haut et long ! Le principal, c'est qu'il soit là-bas au bout de cette branche.

Quelqu'un m'a passé une corde et a serré un nœud coulant bien ajusté à la taille de mon cou. Il y avait un gros chêne à côté de moi. Je devinais son imposante présence.

– Si on lui coupait les couilles avant de l'envoyer au ciel?

– T'es vraiment sadique!

– Et eux, ce qu'ils font, c'est peut-être pas dégueulasse? Ces fouilleurs de poubelles sont farcis de maladies et en plus ils bouffent nos sandwichs et attaquent nos enfants.

– Faudrait bien niquer ce fils de chien, pour le donner en exemple aux autres, a proposé un brigadier. Lui faire gicler les yeux de leur orbite, planter un clou dans le cerveau…

– Chaque chose en son temps! a fait un autre qui voulait remettre de l'ordre dans la besogne.

Dans mon regard brouillé, je distinguais bien le ciel qui couvrait le feuillage du chêne. On aurait dit qu'il me regardait. C'était comme la mer, vue à l'envers. Et les cumulus qui traversaient étaient des vagues avec leur écume. Parfois, très haut, j'apercevais des oiseaux migrateurs que je reconnaissais à la régularité de leurs battements d'ailes. Des cigognes. Peut-être des albatros. Peut-être des avions, aussi. Ils filaient tous au pays du Bonheur. Dans quelques minutes, j'allais les rejoindre. Leur crier: Hé, les cousins! Attendez-moi! Je vais avec vous, j'ai réussi à m'envoler, moi aussi, à décoller… hé, vous m'entendez? Montrez-moi le chemin.

Des albatros de Nouvelle-Zélande. Ils ralentiront un peu leur course pour me laisser entrer dans leur sillage. Je rentrerai dans leur rang, ils me couvriront de leurs ailes. Je deviendrai un chien volant. Je parcourrai les océans, les mers, passerai au-dessus des volcans et des déserts, je boirai des rivières.

Quelle saison étions-nous? Automne? Entre été et hiver. Sur le chemin du froid et des glaciers.

– Déroule un peu plus la corde, a ordonné un expert.

Les clameurs se sont tues. Les albatros ont disparu. Le nœud coulant a enserré un peu plus ma gorge. Je ne respirais presque plus. Mon corps traînait sur le sol. J'ai fermé mon regard pour dire à mes amis albatros de m'attendre, dans cinq minutes au plus je serai prêt. Avec mes ailes noires.

Deux assassins se sont mis à chanter en riant :

– C'est un fameux trois-mâts, fin comme un oiseau…

Et la horde a repris en chœur :

– Hissez haut ! Santiano…

Et ils ont continué à hisser.

A chaque « Hissez haut ! » je m'élevais d'un cran vers les albatros. Le ciel se faisait plus proche. Le nœud coulant ne transigeait plus avec son étreinte. Ne lui avait-on pas donné des ordres stricts ? Il les exécutait mécaniquement. Mon âme commençait à faire ses bagages, mon corps était sa cabine. Je pensais à un sous-marin en immersion brutalement réveillé par une sirène d'alarme, et tous les marins essayaient d'évacuer d'urgence. Quand les trompettes de la mort sonnent la retraite, l'âme essaie de sauver sa peau. Je la sentais bien, la mienne, la misérable, avec tous les coups de chaussure, de batte de baise-boule et de chaîne à vélo qu'elle avait essuyés sur sa sensibilité. Elle devait se douter depuis un bon moment qu'elle allait évacuer d'urgence :

– Hissez haut ! Hissez haut !

J'entendais encore le rythme des galériens. Il ne me restait plus qu'un filet de regard, mais je pouvais encore voir l'avancement de mon destin. Au fur et à mesure que le nœud coulant rétrécissait mon angle de vie, mes yeux faisaient pression vers la sortie où filtrait un peu de lumière. C'était comme un accouchement. Si mes parents me

voyaient dans cet état, perché stupidement à la branche de
ce chêne qui faisait le mort devant mon malheur !

Cette fois, j'ai senti venir mon dernier souffle. Toutes
les particules de mon âme étaient agglutinées sur le quai,
sans état d'âme, froides. Encore quelques secondes et mes
ongles ne pourraient plus s'agripper nulle part. Dans un
dernier sursaut, j'ai roulé une phrase au fond de mon
ventre que j'allais expédier dehors, avant que le nœud coulant ne bloque définitivement l'entrée.

— La société vous fera payer !

En réponse, des rires diffus me sont parvenus. Des
moqueries qui s'amusaient de ma naïveté de bête à quatre
pattes.

— Regardez ! Il essaie d'aboyer.

— Non, il dégueule ses tripes.

— Il dit que la société va nous faire payer…, a répété un
enfant.

Autour de moi, il y a eu un calme plat qui en disait haut
et long sur la mauvaise conscience de mes bourreaux. Un
brigadier s'est empressé d'occuper le terrain vague pour ne
laisser s'infiltrer aucun doute :

— Qu'est-ce que c'est, ces conneries : la société va nous
faire payer ?

Il a accroché son regard autoritaire dans celui de l'enfant qui venait de répéter.

— La société c'est nous ! On va quand même pas se
punir alors qu'on est en train de se défendre contre ces fils
de chiens, non ?

— Ouais, a confirmé son collègue. C'est eux qui nous
agressent la vie.

— Allez, hissez haut ! Qu'on n'en parle plus !

Je n'ai pas fait de prière avant de partir. Les dernières
parties de mon âme finissaient leur déménagement. J'en-

tendais le commandant de bord qui donnait ses ordres :

– Allons, allons, pressons, faut y aller.

– Hissez haut !

Le dernier passager de mon âme était à bord du vaisseau corsaire, prêt à lever l'ancre quand le miracle est arrivé. Une voix :

– Attendez, arrêtez tout ! Ça vaut mieux pour vous.

La voix du ciel. Forte, musclée, décisive.

– Lâchez la corde !

Mon corps est lourdement retombé sur le sol. A nouveau, comètes, soucoupes volantes, météorites ont circulé dans mon écran. Je respirais mal, mais l'air passait quand même. Je voyais flou. Des dizaines et des dizaines de chiens de toutes les tailles, toutes les couleurs, les espèces, encerclaient mes bourreaux, debout sur leurs pattes arrière, les deux autres croisées sur leur poitrine.

Une vraie vision de paradis. Mes amis, mes cousins, mes frères connus et inconnus étaient venus me libérer. J'allais être encore vivant, revoir mes parents, Nikita. Vivant !

Comment ces chiens étaient-ils arrivés là ? Qui les avait prévenus ?

A leur tour, mes assassins allaient être en ballottage de la vie. Quelqu'un s'est approché de ce qui restait de moi, un fromage coulant dans la poussière.

– Ça va ?

Je n'étais même plus capable de sursauter :

– Akim !

Mes mots avaient des frissons.

– Ça va, mon ami ?

J'ai ri en play-back.

Il a caressé ma tête à l'endroit de mes blessures.

– Ils t'ont bien arrangé...

– Comment vous m'avez retrouvé ? j'ai demandé.

– Tu vas jamais me croire, il a fait en levant le museau
au ciel. Je ne sais pas s'il faut te dire ça en ce moment…
allez, laisse tomber, je t'en parlerai quand tu seras remis
sur pattes…

– Maintenant.

Il a relevé son regard vers le ciel.

– Tu ne vas pas me croire. Ce sont des oiseaux géants
que les zumins appellent albatros. Ils sont venus se poser
à côté de moi. Ils m'ont fait comprendre que je devais
les suivre… Je n'ai pas hésité, ils m'ont amené à l'endroit où tu te balançais. Quand j'ai vu ça, j'ai paniqué,
je me suis mis à courir la ville à la recherche de secours,
j'ameutais des chiens, ils étaient déjà tous au courant. Par
dizaines, par centaines, ils rappliquaient sur les lieux.
Et d'en haut, les albatros faisaient le lien. Ils avaient
beaucoup d'aisance pour franchir les distances avec leurs
immenses ailes. J'ai pas eu le temps de réaliser ce qui arrivait. Au bout de quelques minutes, je me suis retrouvé
là, devant les assassins, entouré de milliers de chiens…
voilà.

J'ai ri. Ainsi, les albatros préféraient me voir rester sur
terre. J'étais arrivé tellement près de la ligne de mort que
tout me paraissait possible à présent.

– Ça va toujours, mon frère ? a demandé Akim. Je
t'avais prévenu…

Tout à coup, des cris de terreur humaine se sont déta-
chés d'un brouhaha d'aboiements. On ne distinguait plus
les brigadiers et les enfants au milieu des chiens enragés
qui les battaient, les griffaient et mordaient partout. Les
zumins appelaient au secours leurs êtres les plus chers. On
aurait dit que chaque chien avait un compte personnel à
régler. Un brigadier est sorti de la mêlée. Il a tenté une fuite

de survie en direction d'un muret. Il avait sans doute l'intention de camoufler sa vie. Deux chiens l'accompagnaient dans sa course, les crocs plantés dans ses mollets et ses cuisses. Armé d'une matraque, il essayait de s'en défaire. En vain. Les deux cousins avaient la hargne des requins. Et le brigadier hurlait des mots de guerre pour se fabriquer du courage, il donnait des coups dans le vide, tandis que les chiens lui arrachaient déjà des morceaux de lui-même. Le sang jaillissait. Puis, l'homme est tombé. Sa tête a heurté le muret. En quelques secondes, une horde de chiens le recouvrait et le désossait. Ses hurlements me laissaient un goût amer. Tout cela allait conforter chez les zumins notre réputation de chiens méchants. *debonne*

— T'as pas l'air heureux, César ? a dit Akim.

— Ça sert à rien de tuer comme ça. Ça me dégoûte, tout ce sang...

Il s'est emporté :

— Et eux ? Ils se gênent, peut-être ? On va quand même pas se laisser faire, non ?

Je ne savais pas. J'ai essayé de me redresser une première fois. Les douleurs sur mon corps étaient des brûlures que chaque mouvement pinçait. Je me suis laissé tomber à terre.

— Attends encore un peu, a suggéré Akim.

J'ai regardé mes lyncheurs encerclés par les chiens.

— Va leur dire de les laisser.

J'ai appuyé ma phrase d'un geste de la tête pour insister.

— Pourquoi ? il a presque hurlé.

Je n'ai rien ajouté. Je l'ai juste observé du coin de l'œil. Son regard naviguait entre le groupe de chiens et le fond de ma pensée. Un court instant, il a cherché sa place au milieu de toutes ces questions, il a envisagé une rébellion, puis une soumission totale, et finalement il a pris son temps pour se diriger vers les chiens. Lentement. Il inclinait sa tête de tous les côtés pour montrer sa colère.

On entendait encore les hurlements de terreur des zumins.

Il est allé se positionner au-dessus du promontoire et il a pris la parole. L'agitation et le brouhaha ont cessé d'un coup :

– Mes frères ! Ces zumins voulaient pendre César. Nous sommes arrivés à temps pour le sauver. Il est gravement blessé, mais en vie. Maintenant, nous arrêtons là. Nous allons les laisser rentrer chez eux.

Les chiens sont restés silencieux. Mais c'était un silence de recueillement. Akim parlait avec des mots faciles.

– … ils sont libres. Ce sera la leçon. Merci à tous d'être venus. Vous avez montré comment nous pouvons agir, ensemble…

– Fini l'esclavage ! a lancé un berger allemand monté sur un muret.

Des acclamations ont fait trembler le ciel. Alors les chiens se sont écartés pour libérer un passage aux lyncheurs. On voyait leurs fesses recroquevillées dans leur pantalon. Ils sont passés dans un couloir. Tous les chiens leur crachaient dessus, les insultaient. Les zumins posaient leurs mains sur la tête pour ne pas voir et recevoir. Une fois hors de portée, ils ont couru comme des antilopes.

Les chiens ont manifesté leur joie pendant un long moment, puis ils ont commencé à se disperser. Quelques-uns sont venus me saluer, me regarder. Akim les a rejoints. Il avait un sourire qui étirait son museau, ses yeux et ses oreilles. Il s'est accroupi à côté de moi :

– T'as vu ? T'as vu tout ça ? J'ai rien compris. Oh putain !
Oh putain !

Et il s'est mis à aboyer comme si nous étions sourds.

*   *
*

Il m'a aidé à me traîner jusqu'au parc André-Malraux.
Le lac était superbe avec ses joncs qui ressemblaient aux
cous des flamants roses. Une maman protégeait du regard
ses deux enfants qui jouaient au bord de l'eau. Ils avaient
fabriqué un petit bateau dans une feuille de papier
brouillon et tiraient des pierres tout autour de lui pour le
faire naviguer dans une mer artificiellement déchaînée. Ou
pour le faire chavirer. Nous nous sommes approchés de
l'eau. La maman a aussi sec appelé ses deux protégés, en
signal d'alarme.

– Allez, on rentre à la maison.

Elle nous surveillait en même temps de derrière sa tête.
Il faut reconnaître qu'Akim et son allure de traîne-trottoir
avait de quoi inquiéter le syndicat des baby-sitters. Quant
à moi, des oreilles aux pattes, j'étais mis en perspective par
des ecchymoses de la couleur d'une nuit de crime.

Les enfants poursuivaient leur bateau.

– Les enfants ! Qu'est-ce que j'ai dit ?

Ils ont lancé une dernière pierre contre lui et sont partis,
à reculons, vers leur mère.

– C'est ça, sauvez-vous, comme ça, le lac est tout à
nous, a dit Akim en regardant la famille s'éloigner. Allez,
amène-toi par ici, je vais te nettoyer tout ça. Tu ressembles
plus à rien.

Un frère.

Pendant une demi-heure, il a passé sa langue en gant de

toilette sur ma peau. J'ai dû me mettre à plat ventre pour supporter la douleur. La terre me massait, elle m'envoyait des radiations de réconfort. Akim aussi était merveilleux. Il souffrait avec moi, même plus que moi. Chaque fois que je poussais un cri, il tirait une grimace qui coupait son visage en deux.

Il s'inquiétait toutes les cinq minutes :

– Et maintenant, ça va mieux ?

Dans ma tête, le sang circulait à nouveau en vent arrière. Je revoyais au ralenti ou en accéléré tous les moments du lynchage. Un bourdon fou de rage est entré dans ma boîte crânienne et a commencé à frapper contre les parois. Ça faisait un mal atomique.

– Tu peux me ramener chez moi, j'ai dit. Je ne peux plus rester là.

J'ai rassemblé les pièces détachées de ma carcasse, je me suis levé et nous sommes sortis du parc. Arrivés sur la route, il s'est placé devant moi :

– Et maintenant ?

– Maintenant quoi ?

– Ça va mieux ?

J'ai fait oui avec un signe de tête.

Tous les gens se retournaient sur notre passage, comme si nous revenions de la guerre. Mais cela ne me gênait pas du tout. Je rentrais chez moi.

* *
*

Emma était noyée de larmes. Je la rassurais en disant « mais je suis vivant ! », rien ne la soulageait. L'idée que j'avais vu la Mort de mes propres yeux de chiot la terrifiait, avec la nausée par-dessus tout ça. Pourquoi une telle

violence contre son petit ? Que leur avait-il fait de mal ?
Elle ne pouvait pas expliquer. Alors, ils pourraient recommencer, un jour.

Elle me serrait pour me donner sa peau en guise de couverture. Elle avait oublié que j'avais des bleus partout, mais
je gardais le secret.

— A partir d'aujourd'hui, tu ne sortiras plus de la niche,
c'est trop dangereux. Tu resteras avec moi, elle a laissé
passer entre deux sanglots.

Puis elle s'est mise à souffler comme si le mal de penser
encombrait sa poitrine. Elle m'a regardé en fronçant les
sourcils :

— Qu'est-ce que c'est cette histoire d'albatros ?

J'hésitais, elle voulait une réponse illico, elle s'est adres-
sée à Akim. Il a dit qu'il ne savait rien de plus que ce qu'il
avait déjà raconté dix fois.

— Tu vas raconter une onzième fois, je m'en fous ! elle a
ordonné en essuyant ses larmes.

Comment pouvait-il dire non ? Alors il a recommencé
son histoire comme une leçon de récitation, et Emma
enregistrait sans sourciller le conte de fées. Nikita se tenait
à côté d'elle, muette, yeux glauques. Elle avait la pâleur
d'un matin d'automne givré. Elle aurait bien voulu trouver la force de soigner mes blessures, mais elle était para-
lysée.

— Ton père va prendre la rage quand il va te voir dans
cet état, a fait Emma.

Elle est sortie de la niche pour penser. Puis les images
de Nikita et d'Akim se sont diluées dans mon esprit.
Quelque chose a lâché. Tout noir. On ferme !

* *
*

56

J'ai ouvert les yeux. Encore la niche autour de moi. Les formes de ma mère sont apparues, lumineuses. Nikita était derrière elle. J'ai laissé à mon esprit le temps de se reprendre, puis j'ai demandé depuis combien de temps j'étais sans connaissance. Emma a caressé mon museau. Elle avait des cernes en chute libre sur ses joues. Moi je voulais poser mes yeux sur une table, pour regarder en reflet la tête que j'avais. Je me sentais boursouflé.

Emma m'a apporté à manger comme si j'étais une famille à moi tout seul. J'ai fait semblant de goûter à tout.

— Tu as fait des cauchemars, elle a dit en me tendant de la nourriture. Tu n'as pas cessé de parler de la roue, tu pleurais, tu appelais ton père, tu avais peur qu'elle l'écrase. Tu voulais qu'on la détruise…

Nikita confirmait avec des gestes.

— Tu nous faisais tellement peur, elle a dit. T'avais de la morve tout partout…Tu voulais tout casser…

J'ai souri et j'ai redressé les oreilles.

— C'est bien ce que je vais faire.

— Je t'en prie, César ! a interrompu Emma. Ça suffit comme ça. Arrête de dire n'importe quoi. Nous avons assez de malheur comme ça.

Nikita a confirmé :

— Tu as reçu trop de coups sur la tête. Tes idées sont toutes renversées.

Je me suis redressé sur mes pattes. J'ai fait un sourire-grimace pour les amuser. Je pouvais avancer. Je suis sorti de la niche.

*　*
*

– César! C'est toi? Mais qui t'a arrangé la vitrine comme ça?

Madame Natacha, ma maîtresse. Elle emmenait ses enfants à l'école.

Je me voyais dans le rond de ses yeux, si jolis à se baigner dedans : un vrai clochard, après des nuits de bagarre. Elle est venue vers moi, elle a posé ses doigts sur mes blessures. Elle a ensuite ausculté mes oreilles :

– Oh, toi qui étais si gentil… tu commences à faire comme les autres, ça va plus aller…

– On va changer de chien, alors? en a conclu un de ses enfants, tout joyeux.

– Moi je voudrais un setter irlandais, ça pue moins que ceux-là et c'est plus câlin, a dit un autre garçon.

La petite fille n'a rien dit. Comme d'habitude.

– Vous me fatiguez de bon matin! a lancé la mère.

Ils sont montés dans la voiture, haute comme un autocar, avec une grosse roue collée à l'arrière. A l'aide d'une petite boîte noire, Madame Natacha a ouvert la porte du jardin et la voiture est sortie. A travers la vitre, les enfants me tiraient la langue comme si je leur avais mangé leur sandwich. Moi aussi je savais tirer la langue.

Quand la voiture a été emportée par la rue, la grille s'est refermée toute seule. C'était son métier à lui. Ouvrir, fermer, bonjour madame, bonjour monsieur, au revoir, passez une bonne journée… Tu parles d'un métier! Au milieu, était coincée la fiche signalétique de notre présence musclée : ATTENTION, CHIENS MÉCHANTS! DANGER! Et comme photo, il y avait une gueule de chien avec des crocs longs comme des couteaux. J'ai posé mes deux pattes dessus, j'ai gratté, poussé fort, et elle s'est détachée. Elle est tombée. Je l'ai prise dans ma gueule et je suis sorti dans la rue. Dans un trou noir creusé tout au long des chaussées pour conduire les eaux usées, je l'ai jetée.

* * * *Arab accent*

Arabic changing of name to pass in France

Un musicien kabyle qui se prend pour une *tsar*, mais qui ne sait même pas prononcer correctement *star*, et qui crie sur les toits qu'en vérité Amadéus Mozart s'appelait Ahmed Mozart, qu'il a dû latiniser son nom pour percer : ça, c'est du Mohand tout cuit. Je l'aime beaucoup. Il veut toujours faire rire les autres, parce qu'il a peur de se faire prendre par la tristesse. Quand il m'a aperçu, il a grimacé :

– Qui ci qui t'a fi ça, Cisar ? Ci la France ?

Il voulait dire « la société ». Il a ouvert la bouche, j'ai vu ses dents grandes comme des carrés de sucre. Il s'est avancé vers moi, le regard docteur en médecine diplômé, il a ausculté, questionné à nouveau. Je lui ai expliqué le lynchage raté.

– Boun Diou ! Et pourtant, toi ti as un si bouncœur…

Ce n'était pas de l'allemand « bunker », *protéger des bombes* mais du kabylo-nanterrien pour dire « bon cœur ». Cela ne changeait rien, j'avais décidé d'avoir un cœur de bunker pour me blinder contre les zumins.

– Viens manger un pou. Ça te fira dou bien.

Il m'a proposé de rentrer avec lui au café d'où il sortait, une tanière à chômeurs longue durée, *Le Casablanca*. Que des hommes. Seule une femme immunisée par la nature contre les agressions, de jour et de nuit, maquillage Marilyn Monroe, debout derrière son bar, essuyait des verres, les oreilles pleines de musique du bled que crachait un poste K7 style sous-marin noir. Elle fumait.

Dès qu'elle m'a vu, elle a retroussé son grand nez et a maugréé :

— Mohand, je t'ai déjà dit, ici c'est pas une porcherie. Tu ne ramènes pas de chiens dans mon établissement ; ça va me porter malheur...

Je me suis arrêté net, comme si j'allais marcher sur une merde. Prêt à faire marche arrière.

— Fatima, loui c'i moun ami Cisar ; il li pas n'impourte qui, ci coume mon frère. Il i chi moi coume chi loui et d'abourd ti lui appourtes oune ou deux merguez, sans harissa, ti loui mits dans oune assiette. Il a bisoin de force, li pouvre. Regarde c'qui loui a fi la France !

Elle a envoyé un ordre en cuisine, par-dessus l'épaule. Nous nous sommes installés à table. Tout autour, des hommes plaquaient à grand fracas des dominos sur le bois, en criant des commentaires techniques. D'autres, en petits groupes ou solitaires, laissaient naviguer leur imagination dans un verre de thé ou de bière. D'autres encore, près de la porte d'entrée, jouaient aux courses en étudiant les combinaisons livrées dans les journaux spécialisés. Il y avait un enfant avec son père qui lui demandait en pointant le doigt sur une page de chiffres :

— Et là, quissqui c'i marqui ?

Alors le petit lisait :

— Yves Saint-Martin. Philliperon...

Des noms de jockeys prestigieux qui gagnaient toujours les courses.

Le père répétait les noms, les laissait gambader dans sa tête, palpait déjà les millions qu'ils lui feraient gagner. Il sirotait un café noir. L'enfant buvait un Vichy-fraise.

— Alours, Cisar... oulala, la vie ça va pas bien, a dit Mohand... mîme les zarabes comme Fatima ils sont racistes et michants avic li chiens, ça va pas. Ci pas nourmal. Li chiens et li zimmigris ci pareil, ils doivent marchi ensemble, main dans la main, pour si difendre, ci pas vrai Fatima ?

– Quoiiii ? elle a fait, comme un pélican qui se prend pour une grue.

– Lis chiens i li zimmigris doivent s'difendre ensemble contre la souciiti...

Elle a tiré une bouffée de sa Marlboro, la bouche pla-quée sur la joue pour éviter la fumée.

– La souciiti...! Si au moins tu savais parler français, je pourrais...

Elle s'est ravisée :

– ... je veux pas être méchante. Allez, laisse tomber... arrête tes conneries, Mohand... va faire ta révolution où tu veux, mais pas dans mon café.

– Doumage, il a dit en se tournant vers moi. Regarde, les zimmigris sont tritis coume di chiens, on a construit li maisons, li zimoubles et risiltat : ti vas louer un loujmant pour toi et ti zenfants, ils ti dizent : y'en a pas ! Faut fire un doussier pour anscrire sour la file d'attente. Alors toi ti dis : mi c'i moi qui l'i counstrouit li zimoubles, avic mi mains ! Ti mountres ti mains mangi par li ciment, ils ti dizent : ti as qu'a counstruire un outre zimouble pour toi... Zaloupris di racistes !

Quatre hommes assis aux tables d'à côté ont redressé la tête.

– T'as raison, Mohand ! La pelle et la pioche, y'en a marre !

– Les chiens et les zimmigris, c'est kif-kif.

Un vieux désabusé a lâché une question de désabusé :

– Oui, ma qu'isse-ti-vous fire ? Li piisan il riste toujours un piisan, et li riche il riste un riche.

– Y a ceux qui font tourner la roue et ceux qui boivent

l'eau, a fait remarquer un jeune sans accent, accoudé au comptoir.

— Deux merguez! a annoncé le cuisinier. Sans harissa.

Il a posé l'assiette. J'ai mis mes pattes sur la table et en deux secondes j'ai englouti les succulentes saucisses. Mes mâchoires me faisaient souffrir. J'ai mangé doucement. Soudain, Fatima a éclaté de rire, secouant tout son corps, elle a dû poser les verres qu'elle tenait. Les clients se sont tournés vers elle.

— Oh non, non, retenez-moi! elle disait. Vous allez me tuer avec vos conneries. Des chiens qui font la révolution avec les immigrés! Mais c'est du délire. Déjà vous êtes vivants et vous avez de la bière et de la bouffe, vous devriez vous la fermer! Regardez ce qui reste de vos pays du soleil!

Elle a hoché la tête. Elle a augmenté le son de son poste stéréo pour s'isoler.

— Je dois m'en aller, j'ai dit à Mohand.

— J'ti coumprends, frère! Li genre houmain il i dicourageant. Sirtout la genre houmaine coume Fatima.

— C'est ça, les Pancho Villa! Retournez dans vos trous!

Nous sommes sortis. A l'entrée du Casablanca, Mohand m'a caressé le cou.

— Ti sais, frère, moi ji plis rien à pirdre, ji souis un vioux, mintenant. Ji sais pas lire, pas icrire, mais si ji pouvoir t'aider ti mi li dis, je feras moun poussible pour toi! D'accourd?

J'ai remercié. Madame Fatima est sortie sur le seuil de la porte. Elle a jeté son mégot dans la rigole. Il y avait un baiser de rouge à lèvres sur le filtre.

— Encore là? J'ai allumé la télé pour voir si on parlait de vous et votre révolution, rien du tout. Vous n'avez pas encore commencé?

Le téléphone a sonné à l'intérieur. Elle est entrée à la hâte.

J'ai susurré à Mohand :

– J'aurais besoin de tes services, un jour ou l'autre.

– Dimain matin, si ti voux, il a immédiatement répliqué. Ji sis fire encoure beaucoup di chouses avic mis mains…

– Oh, Mohand! a grogné la grosse voix de la patronne, c'est pour toi le téléphone. Faudra dire à tes copains que c'est pas la poste, ici, d'accord? Sinon tu paies avec moi les factures…

Il a caressé ma tête, puis il s'est engouffré dans le café. J'ai regardé la rue, je suis allé à gauche, en direction de la librairie.

* *
*

Au moment où j'arrivais devant le magasin des livres, j'ai rencontré le père d'Akim qui attendait le retour de son aveugle. Un vrai cheval avec son saloon devant. Il m'a reconnu :

– César? Tu t'es fait écraser par un train?

Il était tout noir, rasé en brosse, tiré à quatre épingles pour son métier de représentation.

– Des problèmes avec la société.

Toutes les deux secondes, il expédiait un coup d'œil à l'intérieur de la boutique des livres, guettant l'arrivée de son non-voyant. L'angoisse. La peur d'être licencié. Par rapport à tous les autres chiens qui s'éreintaient à la roue, il avait la chance d'avoir une responsabilité; la société lui faisait confiance. Sur sa gueule à lui, on ne lisait pas « chien méchant », au contraire, il avait une image de marque respectable auprès du public. Conducteur d'aveugle, c'était beau à voir dans les rues.

– Et ton chien de père, toujours dans la roue ?

– Il en a marre. Il va, il vient…

Il a soupiré :

– Une vie de chien… oui.

Puis l'aveugle est sorti de la librairie, tenu au bras par le libraire. Le chien-guide s'est mis en état d'alerte :

– Va-t'en vite ! Vite ! mon patron n'aime pas me voir avec des chiens pendant le service…

J'observais l'homme aux lunettes noires qui palpait du doigt le monde devant lui.

– Eh, César ! Fous le camp ! T'entends pas ? Tu vas me faire prendre un blâme…

J'ai fait marche arrière pour ne pas gêner la société.

– Julius, tu es là. Je te sens, a fait l'aveugle en se positionnant en calèche derrière son chien.

Julius pour Ibrahim. Comme le musicien Ahmed Mozart, il avait changé de nom.

De loin, je regardais la manœuvre. Après avoir salué, le libraire est rentré dans sa boutique. Julius était bien droit sur le trottoir, le derrière face à l'aveugle, et quand il a entendu le mot « aller », il a démarré au quart de tour. En douceur. Ils ont disparu au bout de la rue. Tous les gens s'écartaient devant Julius, tout juste si on ne le félicitait pas pour son honorable service. Je suis sorti de mon trou et je me suis approché de la vitrine de la librairie. Il y avait plein de bouquins avec des couleurs africaines. Si même les sans-yeux pouvaient lire, alors tout espoir n'était pas perdu pour les muets de mon espèce.

* *

*

Les zumins que je croisais me visaient avec des regards froids et détériorants. Mais tous les chiens m'honoraient d'un geste amical, avec un mot gentil. Depuis mon sauvetage, je n'étais plus un inconnu dans la rue. J'entendais des : « Salut César ! Bravo César ! On est avec toi ! » Ça faisait chaud au cœur. Des chiots me suivaient comme si j'étais Omar Sharif sur la croisette. J'aimais bien ça.

J'ai marché, devant une petite troupe improvisée, jusqu'à un magasin où se pressaient quelques personnes, en cercle. Je me suis faufilé entre la forêt de jambes pour voir. C'était un homme de couleurs, un artiste qui avait dans une valise plein de bâtons de craie, de bombes de peinture et des chiffons. Il se traînait à genoux au-dessus d'un énorme tableau qu'il avait dessiné lui-même sur le trottoir, suffisamment large à cet endroit pour accueillir son œuvre et le public donneur de pièces. Au pied du tableau était jetée sa casquette, pour les sous. Les couleurs chaudes du tableau éclaboussaient l'entrée du magasin. Elles représentaient des hommes âgés, datant des temps anciens, qui tenaient dans leurs mains un enfant avec de grosses fesses bien remplies, qui n'avait pas du tout l'air heureux de son sort. Les hommes non plus. Sur leur visage, il y avait la misère de vivre.

— Papa, c'est quoi qu'il dessine ? a demandé un enfant.

— C'est la naissance de quelqu'un ou la Naissance tout court.

— C'est Jésus Triste ?

Le papa a ri.

— Le grand barbu qu'il a dessiné avec une robe, qu'est-ce qu'il fait ? a encore demandé le chérubin.

— J'en sais rien. Faudrait demander à l'artiste.

— C'est Jésus Triste ?

– Tu me l'as déjà demandé, j'ai dit que je ne savais pas, OK?

Le peintre avait entendu. Il les a regardés. Puis il a posé ses craies et il a commencé à se rouler une cigarette dans un paquet de tabac qu'il tenait à portée de main. Il a souri légèrement, pour dire qu'il avait suivi le débat. Je me suis faufilé un peu plus près. J'ai pu voir une carte postale, posée contre une boîte de craies, le modèle de l'œuvre qu'il dessinait par terre.

Il marquait un temps de pause. Son tabac était très parfumé. Il s'est assis en tailleur, face au public. Il a mis en route un magnétophone et une musique classique a commencé à danser autour de son tableau. C'était un vrai artiste, comme dans les songes. Un jeune garçon aux cheveux vagabonds qui faisait du cabotage de ville en ville, de vie en vie, et qui n'avait pas le temps comme souci quotidien.

Il a terminé sa cigarette, puis il a repris la finition du visage d'une vieille femme. Elle avait les yeux traversés d'effroi. C'était surprenant de voir comment les coups de craie donnaient de la vie au trottoir.

Le jeune homme s'est levé.

– Bonjour messieurs-dames, ce sont les trottoirs qui me nourrissent comme les villes nourrissent les chiens. Si vous aimez mon travail, vous avez le droit de verser des pièces dans ma casquette. Si vous n'aimez pas, vous avez aussi le droit d'encourager. Les billets de banque sont acceptés… à vot' bon cœur.

J'ai craint un instant qu'il braque son attention sur moi, qu'il m'oblige à entrer dans sa mise en scène.

– Papa, qu'est-ce qu'il dit?

– Tu n'as qu'à lui demander toi-même.

– Non, toi! Va mettre des pièces dans la casquette.

Les pièces tombaient, mais l'artiste ne regardait plus les donateurs, ne remerciait pas. Il était revenu à ses personnages de couleurs, embarqué dans un bateau, levé l'ancre. Il était déjà au large.

Je brûlais d'envie de lui poser des questions. Connaître ses impressions. Ce type-là savait où se trouvait le pays du Bonheur. Mais j'avais honte. Je restais caché derrière les jambes du public.

Comme un coup de fouet, la voix de la société a claqué dans mon dos. Des gens se sont écartés pour laisser passer trois policiers et leur autorité en bouclier. L'un d'eux avait le genre « leader » et disait aux badauds : « Allez, allez, écartez-vous », comme si on était dans un pays avec couvre-feu et attroupement de plus de trois personnes interdit sur la voie publique.

– Vous gênez la circulation sur le trottoir… S'il vous plaît…

Ils sont allés droit vers l'artiste. Le chef de la société lui a demandé s'il avait une autorisation municipale pour exercer son art sur la voie publique. Il a levé les yeux vers eux, sans précipitation. Il avait l'habitude des bateaux pirates dans son pays du Bonheur.

– Une quoi ?

– Une autorisation municipale pour exercer votre art sur la voie publique. Arrêté municipal n° AR 7846.

Le jeune aux couleurs a allumé un bout de cigarette. Quelques personnes ont commencé à manifester leur hostilité aux représentants des arrêtés municipaux.

– Vous pouvez pas le laisser tranquille ?

Le policier a fait volte-face.

– Qui a dit ça ?

Une dizaine de personnes ont répondu « nous » ensemble.

Le chef a dégluti. Il a de nouveau fixé son attention sur l'artiste des trottoirs.

– Allez, hop ! Vous, déguerpissez ! Vous remballez vos affaires…

– Fascistes !

– CRS : SS !

Les policiers étaient immobiles dans leur position. Le peintre a commencé à ranger ses craies dans la boîte, il a ramassé sa casquette pleine. Il en a rempli un sachet en plastique. Il faisait des gestes tout doux, pour laisser monter la tension. A tout moment, la colère des gens pouvait exploser. Les policiers n'avaient pas l'air rassuré. Le chef tenait son carnet à souches d'amendes et jouait un rôle de puissance. Il pressait du regard le peintre qui remballait son art.

– Et tout cet argent, vous payez des impôts avec ?

Alors qu'il était prêt à quitter les lieux, le peintre est devenu écarlate. Les petits muscles de son visage tremblaient. Il a dit à froid :

– J'en ai rien à branler de vos impôts, et de vous et de votre société !

Il s'est mis à sauter et à piétiner son œuvre comme si elle était dessinée en relief sur le trottoir.

– Voilà ce que je fais de votre société !

Il vociférait à chaque coup de pied envoyé aux personnages plaqués sur le bitume.

Il a expédié un gros crachat sur le tableau. Le chef policier voulait montrer qu'il gardait le contrôle de la situation.

– Nettoyez vos cochonneries, si ça vous chante, mais pas d'insultes à la police, sinon poursuites judiciaires. Alors vous dégagez en silence, ça vaudra mieux pour vous !

Des voix de mécontentement s'insurgeaient de plus belle dans la foule. Le policier a fait face au public :

– On fait notre boulot, c'est tout ! C'est déjà pas marrant comme ça… Si vous êtes contre l'arrêté municipal n° 7846, vous pouvez écrire au maire ou voter contre lui, mais nous on n'y est pour rien.

Le peintre s'est calmé. Il est passé au milieu de ses supporters. Quelques mains ont commencé à applaudir, puis un frisson général s'est emparé de la foule et bientôt tout le monde a frappé des mains pour saluer le départ de l'artiste. Il s'en allait vers d'autres trottoirs. Les engrenages n'avaient pas prise sur lui.

— Papa, pourquoi il a tout cassé les images, le monsieur ?

Le fils avait toujours une question en attente.

Le peintre l'a regardé dans les yeux :

— Cette fois, Jésus est vraiment triste, il lui a dit. Il a même vraiment les boules ! il a ajouté en regardant les policiers.

Le petit s'est cramponné à la jambe de son père.

— Votre société, elle me fait dégueuler ! a hurlé l'artiste avant de quitter les lieux.

Il y a eu un silence.

— Papa, c'est quoi votre société ?

— Alors là, c'est compliqué. Je ne peux pas t'expliquer ça sur le trottoir.

Ils sont partis. La foule s'est dissipée. Je suis resté le dernier à regarder les visages piétinés des Jésus tristes sur le bitume. Les enfants aux fesses bien remplies avaient des ailes d'albatros à la place des bras.

*   *
*

Plus tard, je me suis retrouvé devant l'école des enfants Lefrançois. J'avais encore l'histoire du peintre au fond de la gorge. Je regardais la cour où il n'y avait que le silence et des moineaux autour de miettes de pain. Je devinais dans les salles de classe les élèves alignés comme des statues attentives devant un maître qui les nourrissait de connaissances. Ça me faisait envie. Je me suis assis et j'ai observé les salles de classe à travers le grillage. Parfois je voyais des maîtres qui passaient dans les rangs, un élève qui allait au tableau. Je m'imaginais assis parmi ces petits apprentis de la vie, apprendre tout par cœur et aller le répéter à tous les chiens des rues interdits de savoir.

Au bas de la porte d'entrée, un objet a attiré mon attention. Je me suis approché. C'était un cartable d'enfant. Le contenu était à moitié déversé à terre, une trousse, des cahiers à couverture plastique, des crayons de couleur et des stylos, un demi-paquet de biscuits Pepito, un livre rouge et bleu. Je l'ai ouvert et j'ai tourné quelques pages machinalement. On voyait souvent des dessins représentant trois enfants, toujours les mêmes, deux garçons et une fille avec des nattes dans les cheveux. Il leur arrivait plein d'histoires : avec un chien, une vache, un lapin, ou bien leurs parents, une voiture, une bicyclette, etc. Sur chaque page et sous les dessins, il y avait des chemins de mots. Ce n'était pas la première fois que j'avais un livre entre les pattes. Mais cette fois, j'avais envie de garder celui-là juste pour moi. Un coup d'œil à gauche, deux coups d'œil à droite, la rue dormait dans le calme des heures creuses. L'aventure d'un sandwich dérobé à un enfant activait un voyant rouge dans ma zone de sécurité. J'ai serré le livre entre mes mâchoires. Je prenais garde à ne pas blesser Merlin, Pinpin et Malou, mes héros inventés. J'ai abandonné le cadavre du cartable tel quel. Après coup, je me suis demandé à quel enfant étourdi il pouvait appartenir, pourquoi personne ne l'avait rapporté à l'intérieur de l'école et les idées tortueuses ont commencé à tisser un filet dans ma tête. Je marchais doucement, le livre en poignard en travers de ma gueule et j'entendais presque Merlin, Pinpin et Malou se lamenter des conditions de transport. Et si le propriétaire du cartable avait été enlevé ? Quelqu'un aura certainement aperçu un chien bronzé, couvert de cicatrices, avec des cheveux bien frisés, fouiller dans le cartable et s'enfuir à la dérobade. C'est sûr, quelqu'un allait témoigner contre moi. J'ai détalé. J'ai gardé le livre. Pour éviter les artères principales de la ville, j'ai fait un large détour en empruntant des rues quadrillées par des files de voitures en ordre impeccable. Je n'ai vu ni entendu personne. J'ai remué la tête de tous les côtés : pour empêcher l'élaboration d'un portrait-robot.

Parvenu à la maison, j'ai déposé Merlin, Pinpin et Malou dans le jardin, derrière la niche. La grosse voiture de Madame Natacha était au garage. Je voyais l'énorme roue accrochée au coffre.

Emma et Nikita ne m'ont pas vu arriver. Étaient-elles là ? Je me suis allongé sur la pelouse. J'ai installé le livre en face de mes yeux comme un dessert à la moelle et j'ai commencé à lire comme l'aveugle.

Alors là, que faisaient Merlin, Pinpin et Malou ? Courant, jouant dans le jardin, celui de leurs papa et maman, avec des fleurs et des oiseaux partout. Je me suis inventé une lecture : mes trois héros font la course contre la montre. Ils passent leur temps dans le jardin, à jouer avec des objets dessinés de toutes les couleurs sur la page dans laquelle ils habitent.

Première leçon, première question : pourquoi la balançoire est-elle dessinée en si gros, alors que les oiseaux sont presque invisibles et les fleurs inodores ?

J'ai posé mon museau sur la page. Aucune odeur naturelle ne s'en dégageait.

Une voix de femme appelait :
– César ! César !
J'ai cherché l'origine. Madame Natacha ! Depuis sa fenêtre, elle me faisait de grands signes de la main.
– Allez, viens là, mon chien ! Viens manger mon miel.
J'ai refermé les pages et j'ai glissé le livre sous une planche, par terre. J'ai marché sans me presser vers ma maîtresse. Elle a redit : allez, viens mon petit, viens manger mon miel, et elle a tiré les rideaux de sa chambre.

* *
*

La chambre ressemblait à l'atelier d'un artisan soigneux. Jamais débordée par le désordre, mais encombrée d'objets divers. Des masques africains étaient accrochés aux murs. Ils voulaient m'impressionner, avec leurs regards vides et leurs lèvres boudeuses.
Madame Natacha, dans une combinaison rose, était déjà allongée sur le lit et me reluquait avec violence.
– Allez, il vient vite avec sa maîtresse, le petit Césarillo. Il va lécher.   *3rd personne*
Elle gloussait.
Comme à chaque séance de miel, elle m'appelait à la troisième personne du singulier. C'était pour m'éloigner, je le voyais bien, me tenir à distance de sa vie propre. Pour m'utiliser juste en cas d'urgence et me balancer après, loin de son monde.
J'ai sauté sur le lit en chien bien élevé. Mais elle s'est redressée d'un coup.
– D'abord une douche. Il a l'air tellement pouilleux, le Césarillo…
Elle m'a flanqué sous le jet d'eau chaude, en chanton-

72

nant sa joie de vivre. Sa combinaison à moitié mouillée se plaquait sur son corps et faisait jaillir les pointes de ses seins et son ventre musclé. Elle disait des mots curieux que je ne connaissais pas. Elle m'a sorti de la douche et m'a séché. L'eau chaude avait ramolli mon corps. Nous sommes revenus sur le lit. Elle a ôté sa combinaison et elle s'est allongée. Elle a replié les jambes vers elle, elle a écarté les cuisses.

— Allez, il vient, le chien !

Elle remuait nerveusement. Sa bouche et ses yeux dansaient. Après une seconde, son corps se chauffait maintenant en 220 volts alternatif, un vrai serpent de chaleur, infiltrant. Ses mains allaient et venaient, fiévreuses.

— Il y va, le sale chien.

Elle a retiré les mains au-dessus de sa tête, relaxe, en même temps qu'elle faisait le grand écart avec ses jambes pour faire journée porte ouverte dans son corps, avec le sucre d'abeille comme tapis rouge.

Au bout d'un moment, j'avais l'impression de la porter en l'air, que je pouvais la faire pivoter autour de la langue et la laisser se mordre la queue comme une girouette, elle était raide et concentrée sur son volcan en feu.

Le goût était enivrant.

Le rythme de croisière était atteint. Elle faisait des pirouettes dans le ciel, voulait y rester. Il ne fallait pas relâcher la pression. J'ai accentué la cadence de mes caresses jusqu'à ce qu'elle émette un râle final, comme si on lui enfonçait un pieu dans le ventre. Son corps a fait des soubresauts, il s'est recouvert d'une mince couche de frissons, j'ai voulu encore donner de moi-même, mais elle a fermé les portes, elle en avait assez. Alors elle a ramené ses bras le long de ses hanches et elle est restée en méditation silencieuse quelques minutes, les yeux clos. Je me suis allongé à ses pieds et j'ai regardé, d'en bas, le spectacle. C'était joli à voir.

Elle a repris connaissance. Elle avait l'air apaisée. Mais quand elle m'a vu, une lueur de haine a giclé d'elle, comme si elle voulait m'effacer immédiatement de sa réalité. Je me suis mis en position de sécurité. Elle s'est redressée, l'œil en périscope autour d'elle, étrangère dans les lieux. Elle avait cassé sa boussole de vie. Je ne bougeais pas d'un poil. Elle allait vociférer des mots durs, j'ai préféré m'esquiver de la chambre.

– Va-t'en ! elle a crié.

Une bourgeoise. Elle me tutoyait à nouveau.

Je n'étais plus le même, aussi. Je me sentais moi-même différent. Quelqu'un d'autre. Avec un gros manque d'amour.

* *
*

Le lendemain matin, j'ai entendu Emma s'affairer à la gamelle de mon père. Il partait à la routine. Une pluie lourde sciait la nuit finissante. C'est la musique de son goutte-à-goutte qui m'a réveillé. Je me suis levé.

– César ! a presque hurlé Emma.

Elle me prenait pour une apparition.

Avant que j'aie pu faire un pas vers elle pour l'embrasser, mon père s'est élancé sur moi.

– César ! Quelle joie de te voir en un seul morceau, vivant. Ça va ?

Il m'embrassait partout pour nettoyer son cauchemar.

– … c'était au bord d'un fleuve, le barrage avait une sérieuse brèche, en plein milieu, il allait éclater sous la pression de l'eau et toi tu étais sur les berges, immobile. Je

74

te criais de t'en aller, mais tu ne faisais que sourire, tu sou-
riais, tes yeux étaient ceux d'un autre...

Il m'a serré jusqu'à me faire tomber par terre.

– ... tu es là, César, tu es chaud. C'est pour toi que je
travaille, fiston, ne l'oublie jamais, je vais t'aider à faire ton
entrée dans la vie, tu vas apprendre à nager dans tout ça, à
penser, à réfléchir, à tout calculer, sinon même les vulgaires
moineaux ne se gêneront pas pour picorer dans ton cerveau, si tu es à découvert...

– Qu'est-ce que c'est ces salades que tu lui racontes ?
s'est interposée Emma.

Elle a pris sa place, dans mes bras. Elle l'a regardé d'un
air furieux.

– ... prends ton *doggy-bag*. C'est ton heure de partir.

J'étais à moitié endormi. Les mots de mon père résonnaient dans mes oreilles. Pour lui, vivre était une péni-
tence. Une fois dedans, il fallait y aller. Moi, je ne voulais
pas entrer là-dedans. Je voulais être dehors, là où les
peintres savent dessiner d'autres mondes, sur les trottoirs
des rues, là où les musiciens connaissent des clefs de sol.
Pourquoi je devrais entrer dans ce monde pourri ?

– A ce soir, fiston.

Mon père est sorti de la niche. Je l'ai suivi.

– Où vas-tu encore, seul ? a demandé Emma.

Elle avait les yeux morts de peur. Elle préférait que j'at-
tende Akim qui allait venir me chercher. Je ne supportais
pas de la voir avec des yeux comme ça. Je suis allé la récon-
forter cœur contre cœur, de battement à battement. Elle
répétait : « Je t'en prie, reste. » Je suis resté. Pouvais pas
faire autrement.

Elle s'est mise à préparer un festin, de bon matin, juste
pour me garder près d'elle, un osso bucco à la milanaise,
elle a dit, je ne savais pas où elle avait appris ça. Je me

suis posté devant la niche, spectateur du lever du jour.

Drôle de moment, l'aube. Télescopage de deux rivages. On entend presque le jour dire à la nuit : « Pousse-toi de là que je m'y mette. C'est l'équipe du jour. » Et on voit même des particules drapées de blanc qui chassent à coups de balai les traînards de la nuit, les poussant dans des camions de quotidien, en criant aux chauffeurs « alleeez », ou bien « oooh », pour les faire avancer. La nuit est chargée, emmenée vers un autre destin et, dans la ville, les journaux du matin passent de main en main, les facteurs commencent leur tournée, les gardiens d'immeuble sortent les poubelles, les boulangers vont se coucher.

Les chiens vont au supplice de la roue.

*   *

*

La pluie mouillait le décor. Les bas nuages teignaient les camions en gris. En face de moi, la maison des maîtres pleurait. Des torrents s'échappaient des gouttières, dévalaient la pelouse et allaient mourir dans le delta de la rue, derrière le portail.

– A quoi penses-tu ? Tu penses toujours.

Emma redoutait les idées qui s'incrustent dans les esprits comme des tiques. Elle aurait voulu que je sois un chien sans questions. Un chien sans problèmes. Avec une vie pareille, sans questions et sans problèmes. Elle aurait bien aimé installer un filet autour de ma tête pour faire barrage.

– A rien.

– Alors ?

– Je regarde la pluie tomber sur le monde. C'est tout.

Elle a laissé un silence. Au bout d'un moment, elle m'a apporté un superbe plat qui sentait l'Italie à plein nez. Elle s'est assise à côté de moi.

– Vas-y, mange.

Elle voulait me garder avec ses plats cuisinés, pour que je reste son petit d'avant.

– Mange, toi aussi, j'ai fait.

Elle a levé le menton vers le haut pour dire non. J'ai insisté. En vérité, je n'avais pas faim du tout. J'ai feint de manger.

– Hum, c'est bon !

Elle a coupé :

– Tu n'as pas faim.

J'ai haussé les sourcils. Je n'arrivais pas à mentir.

– Ça fait rien, elle a dit. Ce sera pour ta sœur.

Emma était à découvrir tous les jours. Nous écoutions les crépitements de la pluie qui attaquait la terre, parfois en rangs serrés, perpendiculaires, parfois latéralement, guidée à gauche ou à droite par des rafales de vent tournant.

– Qu'est-ce que ça veut dire : la pluie qui tombe sur le monde ? elle a demandé, au détour d'un silence.

Je l'ai regardée en dedans.

– Oui, tu as dit ça, tout à l'heure.

– Je ne sais pas pourquoi. Comme ça.

Heureusement, le plein jour est arrivé pour me tirer d'affaire. Un rideau a dévoilé le nouveau décor. Les silhouettes des maisons, des arbres, de la balançoire se découpaient avec plus de précision. A la fenêtre de sa chambre, j'ai vu Madame Natacha qui regardait le jour se lever. Elle nous a aperçus, elle a dévié son regard.

– Voilà le jour, je peux sortir sans crainte, j'ai dit.

– Mais pourquoi ? Tu n'es pas bien, ici ?

Je suis sorti quand même. Elle n'a pas osé me retenir.

– Je t'en prie, ne va pas seul !

Dans la rue, ça sentait le mouillé. La pluie avait cessé.

Les rigoles couraient comme des folles, charriant les feuilles mortes qui se pressaient les unes contre les autres, se chevauchaient sans merci, au milieu des morceaux de bois et des déchets de la ville. Pour aller où ? A l'égout. Puis au fleuve. Puis à la mer. Tout était méticuleusement organisé. Moi je voyais un immense barrage qui blindait le cours d'un fleuve pour le domestiquer et l'exploiter, et je savais que la roue était la turbine de ce barrage. Dans ma tête, je voyais l'ensemble du réseau de conduites qui formait le monde. Je sentais où il fallait frapper pour libérer mon père et les autres. Percer le barrage. Noyer les frontières. Le jeu serait à refaire. L'eau effacerait toute l'histoire des placements, tout le monde serait égaux.

Fallait y aller.

*   *
*

Quand Akim m'a rejoint, je marchais déjà sur les berges du fleuve comme un inspecteur, l'air explosif. Comment m'avait-il retrouvé au milieu de ce monde si immense ?

– C'est ta mère. Elle est venue me sortir du lit, affolée, elle m'a dit de marcher dans tes pas, tu lui fais peur, elle dit que t'es refroidi et que tu racontes que « la pluie tombe sur le monde », quelque chose comme ça…

Ses mots faisaient mal.

– Où tu vas comme ça ?

J'ai regardé à nouveau le fleuve. L'eau noirâtre était nerveuse. Les roseaux et les arbustes, voraces et étouffants, la rendaient inaccessible. Pas d'embarcation amarrée sur les berges. La sauvagerie totale.

– Je monte jusqu'au barrage.

– Pour faire quoi ?

– Le faire sauter.

– Le quoi ?

Je n'ai pas répété. Il a hoché la tête dans un geste désespéré :

– T'es maboul.

– Tu vas m'aider à faire sauter cette saloperie de roue. Il faut le faire. C'est notre destin.

Il a laissé sortir un rire saccadé que le vent a emporté vers les roseaux aux aguets, épieurs. Eux aussi allaient être noyés dans l'inondation.

– Te trompe pas. C'est bien parce qu'une mère désespérée m'a dit de veiller sur son fils déboussolé que je suis là !… « La pluie tombe sur le monde »… pfeuuu !

Il a décidé de m'accompagner.

– Quand le destin appelle, même les sourds entendent, j'ai dit. C'est pas toi qui m'as parlé de deux albatros ?

Une flèche en plein cœur. Il m'a regardé comme s'il me demandait de l'aider à comprendre, mais j'ai laissé faire.

*   *
*

Nous sommes passés sous un pont de chemin de fer. Au pied d'un des piliers se dressait un assemblage de cartons d'emballage, une tente. A l'entrée gisaient deux bébés chiots enveloppés dans la rosée, renversés sur le côté, inertes. On entendait de légers ronflements à l'intérieur de la tente. Akim s'est approché des bébés gisants, il a posé son museau sur le premier, sur le second, et il m'a lancé :

– Oh putain ! Ils sont morts.

Quelque chose a bougé dans la tente. La porte s'est ouverte, un chien est sorti, on ne voyait d'abord que son air fuyant au milieu de la figure, l'air d'un animal dépassé tout le temps par le temps. Akim a désigné de la patte les bébés :

– C'est quoi, ces chiots ?

– Ils étaient à moi. Ils sont à Dieu, s'il existe…

Il est sorti de la tente. Il est allé devant les deux corps.

– Morts de faim et de froid, morts de toutes les morts, c'est ce qui attend les autres qui dorment là-dedans…

La mère est apparue. La vie était pendue au bord de son regard et de sa gueule, prête à une évacuation d'urgence. Elle boitait d'une patte arrière. Elle a observé un instant les deux cadavres.

– Ils ont faim, ils ont froid…

– Ils sont morts, a dit le père.

Elle a hésité :

– Alors, il faut vite les nourrir.

Akim m'a regardé. Il demandait s'il fallait partir ou rester. Une boule au milieu de ma poitrine comprimait ma respiration. Je devais poursuivre la route, remonter jusqu'à la source de tout cela, en comprendre le mécanisme.

J'ai fait quelques pas en direction du fleuve. J'ai fixé l'eau. La brise griffonnait des messages à la hâte sur la surface. Impossible de les déchiffrer.

La mère boiteuse est venue me rejoindre.

– Aidez-nous, s'il vous plaît. Je vous en prie.

Elle bavait en implorant. Je l'ai regardée en face. La folie était en majuscules sur elle.

– Il faut enterrer les chiots, j'ai dit.

– S'il vous plaît… aidez-moi !

Elle n'avait que ces mots dans la gorge : « S'il vous plaît… aidez-moi ! S'il vous plaît… aidez-moi ! » Elle se tenait à quatre centimètres de moi, mais elle gagnait un centimètre chaque fois qu'elle récitait sa misère. Elle voulait m'encercler, dresser autour de moi des pieux. Sentait la peste. Son regard purulent glissait sur les joues.

— Vous pouvez m'aider, je le sais, avec vos <u>oiseaux blancs</u>... elle a dit.

Je me suis raidi. J'allais lui demander comment elle savait, mais j'ai répondu tout autre chose :

— Je ferai ce que je pourrai...

Elle a rebroussé chemin, vers sa tente. Elle avançait comme une éclopée de la vie. Ses poils étaient ébouriffés et sales.

— Faites vite ! elle a terminé, en lançant la phrase dans son dos.

Akim m'a rejoint. Il avait enterré les chiots.

— Le père ne voulait même pas m'aider.

— Il faut partir, j'ai dit.

Les berges du fleuve menaient bien au barrage.

*   *
*

Le chemin filait comme une ligne d'horizon. La sensation était douce de marcher sur une ligne pareille. Soudain, nous sommes tombés dessus, le barrage, juste devant nous, en arc de cercle, une masse indestructible qui tenait en réserve tout un lac, comme des troupes avant la bataille : ce serait une irrigation ou une noyade.

— Putain de putain ! Oh putain ! faisait Akim.

Il voulait libérer sa stupeur. Il était étranglé.

— Allez, viens vite, on se barre d'ici, il a dit. Il y a plein de chiennes qui m'attendent... Pourquoi tu m'as amené ici ?

La peur l'avait pris en tenaille.

— Allez viens, César.

Sa voix me parvenait comme un lointain écho.

Je contemplais le barrage : une vraie Compagnie Répu-

81

blicaine de Sécurité – jambes musclées, les bras dans le dos, matraque à la main, la tête dans un casque neutre. Il me narguait : allez, viens, viens, le clebs, je t'attendais.

Il m'impressionnait. Akim me pressait pour qu'on évacue ces lieux trop bruts.

– Par les temps qui courent, César, tu épuiseras tes années. Maintenant, tu sais que l'esprit qui habite ton corps a le visage de deux albatros. Avec quatre ailes aussi vastes, il t'emmènera bien après ta dernière mort, au-dessus des océans et de l'univers, vers le pays du Bonheur.

Je me suis retourné vers Akim :

– Pourquoi tu me dis ça ?

– Je t'ai dit quoi ?

– Ce que tu viens de dire « Par les temps qui courent, César, tu épuiseras tes années »... et je ne sais quoi d'autre encore...

Il a ouvert grands les yeux :

– Oh cousin ! T'as bu ! T'es ravagé ! Mais qu'est-ce que c'est ce délire ? Oh putain, hé, elle avait raison, ta mère... Moi je me tire.

Il y a eu un éclat de lumière, des bruits étranges, puis un rideau est tombé. Des tourbillons m'ont entraîné au fond d'un fleuve. Ma tête dansait en faisant des roulés-boulés. J'entendais, sans les distinguer, plein de voix qui se mélangeaient les unes aux autres, mes parents, des cris d'albatros, des milliers de chiens, des tam-tams, des applaudissements, de la musique de Vivaldi et Mozart. Quand j'ai touché terre, une voix familière s'est détachée :

– Oh putain ! C'est quoi tout ce bordel !

Akim était ravagé d'inquiétude. Sa grande gueule est apparue sur l'écran. Il a dit :

– Allez, on se tire d'ici. On retourne comme on était avant. Des chiens errants mais contents.

Il m'a aidé à marcher. J'avais des vertiges. Nous avons parcouru les berges du fleuve en sens inverse. Il ne cessait d'envoyer des regards furtifs vers moi, pour voir si j'étais vivant ou mort.

– Et maintenant ? il a dit.

– Et maintenant quoi ?

– Comment que ça va ?

– Ça va… Ça fait combien de temps que je suis parti ? j'ai demandé après un instant.

– Parti d'où ? T'es vraiment fou, arrête tes conneries, César.

J'ai arrêté.

Les surprises ne faisaient que commencer. Nous sommes repassés à l'endroit exact où nous avions rencontré la famille de miséreux avec les chiots morts. Plus aucune trace de leur présence. Une herbe haute recouvrait les lieux.

– Oh putain ! Oh putain ! a mitraillé Akim.

Il a couru vers la tombe qu'il avait lui-même creusée. Un châtaignier avait planté son tronc à la place. Il est resté un long moment interdit devant l'herbe silencieuse et le châtaignier immobile.

Il cherchait à se mordre la queue pour dire que tout cela n'était qu'une histoire sans queue ni tête.

– Personne ne va nous croire, il répétait.

– Croire quoi ?

– Quoi ?

– Coua, coua, coua, j'ai fait.

Et voilà. Il n'y avait pas plus à dire. D'ailleurs nous n'avons d'abord rien dit, ensuite nous nous sommes regardés, puis nous avons éclaté de rire et sommes partis.

Des moments de vie pas mal. Rien à redire.

* *
*

La pluie s'infiltre partout. Elle a noyé l'endroit où j'avais caché mon livre de lecture. Je l'ai retiré. Il faisait pitié, pire qu'un chiot mort. L'eau était entrée dans tous les pores de son papier et l'avait gondolé. Un vrai morceau de vague de mer, égaré près d'une niche de chien. Dedans, toute la vie était mouillée et transformée, les pages soudées les unes aux autres. Les couleurs avaient coulé, les images perdu leur sens. Merlin, Pinpin et Malou étaient silencieux. Ils ne gambadaient plus dans les prés au printemps, les bras ouverts au ciel, au milieu des champs de coquelicots.

J'ai cherché une page à lire. C'était la page où les parents et les enfants recevaient chez eux les grands-parents. Je le devinais aux lunettes que portait la dame et à la canne qui portait le monsieur. Leurs visages étaient plissés, surtout autour des yeux et de la bouche. Les plis étaient comme du temps mort.

Les grands-parents arrivaient juste. L'image les présentait à côté de leur auto. La famille montrait des signes extérieurs de bonheur en les accueillant.

Brusquement, Nikita est sortie en trombe de la niche comme si une bouteille de gaz allait exploser. J'ai juste eu le temps de la voir passer. Elle fonçait vers la sortie. Mais en fait elle allait simplement accueillir une chienne qui attendait à l'entrée. Sa copine. J'ai laissé tomber mon livre. Nikita a ouvert la porte, j'ai vu son invitée. Le choc ! J'ai dégluti. Pétrifié, le César. Elle a promené son regard sur les lieux, alors mes yeux ont rencontré les siens. Elle n'a pas bougé, moi non plus. Hypnotisés, tous les deux. C'était elle. Nous nous attendions. Nos regards étaient en ligne, l'un dans l'autre. Tout en elle arrivait en moi. Un mélange immédiat. J'étais asphyxié d'amour. Du 380 volts continu dans le corps.

Elle n'a pas dégagé son regard du mien pendant que Nikita l'accompagnait jusqu'à notre niche. Nous étions aimantés. Me connaissait-elle d'une autre vie ? La connaissais-je d'un autre temps ?

– C'est Némésis, a fait Nikita en passant devant moi.

Son nom est allé faire le tour de ma vie en un éclair. Elle était splendide. Sa peau, ses yeux, son corps, tout était déjà à moi. J'allais l'embrasser, lustrer son regard et ses lèvres chaque jour de ma vie. Déjà, je voyais le pays de mon bonheur avec le printemps comme unique saison.

– C'est César, a dit encore Nikita.

Elle a compris que le temps s'était arrêté pour nous. Elle m'a regardé longuement, puis elle a regardé Némésis. Puis encore moi, puis Némésis. Elle voyait bien ce qui se passait. Les mots étaient en attente. Pour relâcher la pression, elle a dit :

– Mais qu'est-ce qui vous arrive à tous les deux ?

Je voulais rire, mais je ne pouvais même pas. J'ai aboyé, un hurlement de chien heureux, j'ai sauté la barrière du portail et j'ai couru à travers la ville pour me remplir d'ivresse. Autour de moi, sur mon passage, des chiens vivaient mon bonheur en direct.

– ELLE M'AIME ! ELLE M'AIME !

*   *
*

Ce matin, quand mon père s'est réveillé, il a trouvé une dédicace pour le jour à venir :

– Un jour de plus, un jour de moins.

Et toute la journée, j'ai trimbalé cette phrase dans mes pensées. Je l'ai répétée à Mohand que j'ai retrouvé devant *Le Casablanca*, il a fait un signe de compassion.

– Pour moi oussi, c'i li dégoûtage !

Il a gratté le billet de Tac-o-Tac qu'il tenait à la main. A la fin, il a déchiré le papier en mille morceaux.

– Alli, viens, on va fire un tour, sinou ji va douvenir fou, ici.

Nous nous sommes baladés. Il m'a parlé de sa guerre d'Indochine, de son grade de tirailleur algérien, de son dégoûtage, encore. Les litres de bière dans ses tuyauteries donnaient à ses souvenirs un effet harissa du cap Bon.

– ... li Vietnamiens nous criaient : Eh vous ! vous ites di Algiriens coulounisis. Vous ites coumme nous, vinez nous rijoindre, la France i noutre innimi à tous !

Il a levé les bras comme pour regretter :

– Souf que nous, on coumprenait rien, on parlait pas françisse. On leur balançait di grinades...

Il a inspecté les environs et il a approché sa bouche de mon oreille pour me dire un secret d'État :

– ... li grinades, j'en ai gardi, en riserve, en cas di bisoin. Ti coumprends c'qui ji voux dire ?

– Très bien.

– Boum ! Boum ! il a dit sans accent.

Il s'est marré.

A la station de RER Nanterre-Ville, un flot de voyageurs a coulé d'un train en provenance de Paris. Beaucoup sautaient par-dessus le péage de billets comme des lièvres fraudeurs. Un groupe de jeunes Asiatiques est passé devant nous. Mohand les a dévisagés en grimaçant. La bière réduisait la finesse de ses mots et gestes.

– Ti vouas, rigarde mantenant, li Din Bin Fou ils sount vinis là ! Di zimmigris, coume li zalgiriens ! Alors à quoi ça

sirt, li grinades? *Dégoûtage* toutal! Icoute, César : ti mi dis
quand ti as bisoin di moi avic mis trois grinades, ji viens
immidiat'ment. A vous zourdres, chef! Ji nique tout!

— Ce sera juste pour faire peur aux autorités, j'ai précisé. Y aura pas besoin de lancement.

Il s'est mis à mimer la guerre :

— Oun enlive la goubille, oun lance, oun proutige sa
tite : boum!

Sa tête était encore dans la bataille. Un demi-siècle
après, il était au front, prêt à se jeter à terre, pousser des
cris de guerre, en arabe, en kabyle, en français, en nanter-
rien, en vietnamien et repartir à l'assaut.

— Je viendrai te chercher plus tard, j'ai dit en l'abandonnant dans ses tranchées.

En guise de tranchée, il s'est engouffré dans un bar. Au
hasard. Derrière lui, des débris de mots à moitié morts
étaient catapultés.

C'était un bar où, heureusement, on laissait entrer les
tirailleurs en hommage aux services rendus à la France.

*   *
*

Sur les marches d'escalier de la bibliothèque, j'ai rencontré le père d'Akim et son aveugle. Il était toujours en
position de survie. J'ai voulu le contourner pour lui épar-
gner l'obligation de me parler devant son patron. Il m'a
hélé :

— César! Tu le sais?

J'ai fait un signe négatif de la tête.

— On ne parle que de toi dans les nichées. On dit que tu
es allé au pays du Bonheur, c'est beau ça... belle histoire...
Des chiens t'ont vu courir dans les rues de la ville, Akim

me dit que tu entends des voix sur la berge du fleuve…
Allez, raconte-moi.

Il était excité comme une puce.

— Marche un peu avec moi, sinon l'autre va me demander pourquoi je m'arrête.

L'autre, c'était l'aveugle. J'ai avancé avec lui.

— C'est vrai ce qu'on raconte ? Tu prépares une grande
chose. C'est quoi, au juste ?

J'ai dit que je ne préparais rien du tout. J'ai laissé
entendre que les chiens, un jour, devront cesser de faire les
chiens.

riot (meute-pack)

— … faudrait faire une émeute de chiens, ou quelque
chose comme ça. J'ai pas encore d'idées précises.

Il était déçu. Il s'imaginait des tas d'autres choses fée-
riques.

— C'est seulement ça ? C'est pas demain la veille !
En Afrique, on connaît, les révolutions, y en a chaque
jour…

— C'est une question de temps.

— C'est ce que je dis : c'est pas demain la veille.

J'ai arrêté de marcher. Lui a continué de traîner son
aveugle en direction de la bibliothèque.

J'ai voulu repartir par où j'étais venu, quand tout à
coup, en face de moi, une dizaine de chiens ont surgi
comme une patrouille de police. Ils m'ont salué en même
temps. L'un d'eux s'est avancé et il a dit :

— César, on est avec toi.

Le jeune berger allemand qui avait des muscles en
courbes excentriques et une belle gueule, fine, s'est approché de moi. D'une voix tremblante, il a dit :

— J'étais là le jour où ils ont essayé de te lyncher… Je
m'appelle Franz Hund.

— Frantzound, j'ai essayé de répéter.

– Nous aussi on était au lynchage, ont coupé quelques autres.

J'ai dit :

– Ah bon !

J'ignorais ce qu'ils attendaient de moi. Eux aussi, manifestement. Gêné, j'ai marché un peu, comme un poète au vent mauvais, les bras croisés dans le dos :

– Merci, ça me touche...

Ils étaient prêts à avaler chacun de mes mots. Fallait faire attention.

– Je sais que des milliers d'entre nous attendent un grand changement dans leur vie de chien, mais il faut y aller doucement... L'heure n'est pas encore arrivée.

J'avais la chair de poule.

Je cherchais quoi leur raconter, quand j'ai flairé un danger. Voyants rouges en alerte. Un camion de brigadier antichiens passait sur la route, à quelques pas de là. Je l'avais senti venir. Le chauffeur a ralenti. Il nous a photographiés avec ses yeux et aussitôt il a serré dans sa main gauche un appareil noir à qui il s'est mis à parler.

– Allô ? Allô ? La brigade ? Vous m'entendez ? Y a du grabuge sur la chaussée. Ça grouille.

Je connaissais ce type. Il avait échappé de justesse à des représailles sanglantes, après une tentative de lynchage manquée. Le goût de la revanche devait irriter son palais. J'ai averti mes amis du danger. Désormais, notre coalition n'était plus anonyme.

La camionnette avançait à faible allure. Sans prévenir, les chiens se sont rués vers elle. J'ai aperçu sur le visage du chauffeur un arc-en-ciel qui promenait ses couleurs d'effroi. Il a passé une vitesse, elle a craqué, il a poussé encore plus fort, rien à faire, les engrenages grinçaient des dents, puis le véhicule a fait un léger bond en avant, brutal, et le moteur a calé. Le chauffeur a remis un coup de clef, le moteur est reparti, mais le véhicule a reculé droit sur la meute de chiens lancée à ses trousses. L'homme s'est empressé de fermer sa vitre latérale. La camionnette a percuté un, deux, puis trois véhicules en stationnement, puis un kiosque à journaux, avant de caler à nouveau. Les chiens mordaient déjà la carrosserie comme la chair fraîche d'un cerf. Ils griffaient furieusement. Le chauffeur se noyait dans son cauchemar. Une seule vitre de cinq millimètres d'épaisseur le séparait d'une mort certaine, version déchiquetage garanti. Il a pu enfin redémarrer la camionnette. Elle est repartie en trombe, en marche avant, laissant sur le bitume, à l'endroit des pneus, le souvenir fumant de son échappée belle.

Quand le calme est revenu, les chiens sont rentrés pour le rapport. Ils étaient sur les nerfs.

— T'as vu comment il s'est sauvé !

— Il ne savait plus où était l'avant et l'arrière...

— Putain ! S'il était tombé entre mes crocs !

Les commentaires allaient bon train. Pendant ce temps, d'autres chiens, attirés par l'agitation, se joignaient à nous. Aux fenêtres de la bibliothèque et des immeubles alentour, des gens se penchaient, curieux. Les chiens palabraient sur leur première victoire, moi je ne disais rien. Une après l'autre, les voix se sont éteintes et les regards se sont dirigés vers moi, pour me donner la parole.

— Qui c'est ? a demandé une voix.

— C'est lui qu'on appelle César.

Il fallait parler. J'ai dit :

— La République a peur des chiens méchants, surtout quand ils sont en bande. Nous savons que l'émeute de chiens peut être un argument... mais il ne faudrait pas tomber dans le piège. Nous ne voulons pas éliminer les autres. Nous voulons être AVEC eux, mais plus comme des clébards de service...

Quelqu'un a applaudi dans mon dos. Un autre visage connu. C'était le jeune peintre des trottoirs, expulsé par un arrêté municipal, n°AR 7846... Il était assis sur une balustrade, en haut de l'escalier. Il tenait un sandwich et une boîte de Coca.

– Bravo ! il a dit, la bouche pleine. On ira tous au paradis, même moi, même les chiens...

Il a commencé à chanter un refrain avec cette phrase, la bouche souriante et mystérieuse. Il a fini d'un trait son Coca, il s'est levé, a mis un coup de pied dans la boîte et il est parti. Sans se retourner, il a crié pour nous :

– Quand vous aurez refait ce monde, je reviendrais... On ira tous au paradis, même moi...

Il a continué sa chanson. Elle me plaisait.

Il a embarqué dans un bateau qui l'attendait à quai, au bord de sa tête. Je me suis dit : les hommes-couleurs et les artistes ont toujours de quoi construire des voiles, en cas d'urgence.

Son apparition était un souffle d'air. J'ai confirmé aux chiens devant moi :

– Vous voyez ! Ils ne sont pas tous à mettre dans le même sac. Nous ne serons pas les CHIENS MÉCHANTS – ATTENTION DANGER qu'on plaque sur les portails des villas.

Les chiens étaient d'accord. J'ai dit au revoir-à bientôt et j'ai quitté la scène. Les frissons ne me lâchaient plus. Je tremblais. Derrière moi, je sentais des milliers de regards me porter, des corps attendants. J'ai marché quelques mètres et je n'ai pas résisté à l'envie de me retourner une dernière fois, juste pour voir : incroyable ! Ils me suivaient tous, en rang par deux, en route vers leur destin. Je voulais appuyer sur *rewind* pour rembobiner la cassette.

Akim a déboulé devant moi, haletant comme un coureur de marathon. Les yeux en lune phosphorescente. Il a freiné en dérapage contrôlé :

– Putain ! Oh putain ! Mais qu'esksèksa ? Bravo, César ! Oh putain ! Ce peuple !

Le spectacle de cette armée de marché aux puces le faisait rire comme un fou. Il s'est mis à taper la patte sur le sol en répétant :

– Oh putain ! Ça va commencer, c'est parti mon kiki ! C'est parti mon kiki !

*   *
*

Notre manifestation avait rameuté dans son sillage des milliers de chiens descendus de tous les horizons. Très vite, le parc André-Malraux a été noirci de bêtes en quête de changement de statut. Mon souci était de calmer ma peur qui avait posé un garrot sur mon cou, décapitant les mots. Némésis m'envoyait souvent des coups de langue, j'essayais de me concentrer pour chercher dans le ciel deux albatros, mais les clameurs étaient trop fortes dans la foule.

Soudain, pas très loin de moi, au milieu d'un groupe de chiens, j'ai aperçu une ombre. Une chienne. Elle boitait d'une patte arrière. Portait la misère du monde sur son dos. C'était elle que j'avais rencontrée sur le chemin du barrage. Elle était même avec son compagnon et quelques-uns de ses petits. Nos regards se sont croisés. J'ai crié :

– Hé ! Attends !

Némésis s'est inquiétée :

– Qu'est-ce qui se passe ?

Sans répondre, je me suis lancé dans la foule. Elle m'a suivi. J'ai écarté les chiens sur mon passage, mais plus je

les poussais pour avancer et plus je sentais que je ne pourrais jamais atteindre la mendiante des berges du fleuve.
Elle s'évaporait. Je fondais sur elle et son image fuyait dans
le décor. Autour de moi, je voyais une forêt de visages, sou-
riants, déformés. Je me perdais dedans.

– Mais qui cherches-tu ? a demandé Némésis.

– Quelqu'un que j'ai connu.

Les chiens me félicitaient. Je pouvais lire dans leurs
yeux les mots d'encouragement. A nouveau, les frissons
me submergeaient. Une main est sortie de cet océan com-
pact et m'a saisi :

– Hola ! Hola ! Mou frire, Cisar... Lissi-moi passi, c'i
mou frire...

Mohand avait fait la chenille entre les chiens pour par-
venir jusqu'à moi. Il me montrait des yeux la besace qu'il
portait en bandoulière.

– Lissi passi le coummandou Mohand qui a fit Din Bin
Fou et Mounticassinou jusqu'en hout !

Il se marrait avec ses yeux Kronenbourg. Toute sa jeunesse refleurissait.

– Ach, mou frire Cisar ! Mou hérous ! Maintenant, c'i
la vri bataille qui coummence !

Il m'a enlacé comme après deux guerres d'absence. Son
haleine et son corps étaient parfumés au houblon. Je me
suis retiré de son étreinte, en douceur, tandis que Némésis
s'impatientait. Elle s'est mise à grogner contre lui :

– Allez, faut le laisser tranquille, il doit y aller... elle a
osé.

Mohand a vu rouge d'un coup. Son nez *made in Saou-
dia Arabia* s'est replié pour prendre son élan, les pom-
mettes de ses joues se sont mises en boule et il a pris sa
respiration à la façon du crapaud avant de hurler comme
un bœuf :

– Mais qui c'i cette bâtarde…

J'ai vite répondu à sa question :

– C'est Némésis ! Mon amour pour toujours.

Aussitôt, sa colère s'est dissipée dans les airs en faisant des zigzags de ballon crevé. Il a respiré profondément et en s'inclinant, il a dit :

– Madmoizelle, enchanti ! Mohand, tiraillour grinadier à Din Bin Fou et Mounticassinou ! Cisar, c'i coumme mou frire, j'i tout ci qu'il fout pour loui !

Elle lui a fait une bise recto verso pour effacer les malentendus.

Frantzound est arrivé, l'œil pétillant :

– Allez, on n'attend plus que toi !

Du bout de son museau, il m'a montré la foule.

Mohand avait la situation en main :

– Hé, Cisar, mou frire, rigarde…

Ses deux mains étaient posées sur sa besace qu'il inclinait vers moi comme un berceau. Il y avait tant de joie dans sa voix :

– Elles sont là, li trois pitites, bien nou chaud. Quand ti mi dis : lance ! Ji lance. D'accord ?

J'ai fait un clin d'œil pour dire entendu cinq sur cinq et je me suis laissé entraîner par Frantzound. Il fallait encore parler : … terminée l'obligation de porter des cartes de résidence sur nous, plus de contrôle d'identité, plus de laisse, de collier, de muselière.

– Hé, Cisar ! a hurlé Mohand dans mon dos. Pour coumenci, ti peux…

La foule l'a mangé avec sa suggestion. Englouti dans les sables mouvants.

Je voulais me pincer pour sortir de ce film. Appuyer sur *stop*.

Une vague irrégulière d'agitation émanant de la foule

est parvenue jusqu'à moi. Puis après quelques secondes, un haut-parleur a jeté des mots métalliques sur nous, comme un filet sur une forêt de singes.

*   *

*

Autour de cette assemblée, bloquant les entrées du parc, une véritable armée de policiers, évadée d'un film américain, avec voitures et girophares, camions maquillés aux couleurs militaires, s'était installée discrètement, profitant de l'euphorie aveugle des chiens. Des dizaines d'hommes, immobiles comme des montagnes, bras croisés et pieds ouverts à quarante-cinq degrés, prêts à charger au moindre coup de sifflet. Sur l'avant-scène, on pouvait apercevoir des groupes de commandos spéciaux embusqués derrière de larges boucliers transparents et des fusils-baïonnettes. Quelques-uns portaient aussi de lourds sacs en bandoulière. Comme Mohand.

Un chef de guerre s'est mis à débiter des règlements d'administration dans son porte-voix :

– Cette manifestation n'a pas été autorisée par la Préfecture. Vous occupez illégalement l'espace public. Dispersez-vous ! Je répète : dispersez-vous ! Vous encombrez la voie publique et vous gênez la respiration de la ville !

A ce moment-là, des milliers de chiens se sont mis à aboyer. La tension montait comme un nuage atomique et un volcan plein de haine allait vomir d'un instant à l'autre. Les gueules braquées au ciel, les corps tendus comme des arcs, les pattes en flexion extrême, les bêtes n'attendaient qu'un signal pour se ruer contre les hommes en bleu.

– Je répète une dernière fois. Dispersez-vous !

J'ai interrogé du regard Frantzound, Akim et Némésis. Ils avaient tous la vue brouillée par les événements.

– On est des novices, a reconnu Akim en baissant les yeux.

– On s'est fait niquer jusqu'à l'os, a reconnu Frantzound.

Mohand s'est approché :

– Cisar, ji sors les coupines ?

Il avait la main prête à dégoupiller.

J'ai fait un signe négatif.

Un commando de policiers porteurs de fusils s'est avancé et deux d'entre eux ont dirigé leur lance-grenades sur nous. Ils n'allaient pas se gêner pour nous tirer dessus comme des chevreuils en vacances dans une réserve de chasse. J'ai crié :

– Aller, faut se tirer d'ici. Ils vont nous massacrer.

Je suis monté sur l'estrade, seul. Devant moi, l'armée de chiens ignorait qu'une autre armée, celle du préfet, nous tenait à l'œil et même en joue. De chaque côté, on demandait à en découdre. J'ai pensé à toutes ces bêtes si enthousiastes, que la première bombe lacrymogène allait plonger dans une panique noire.

Les aboiements ont cessé. J'ai rassemblé mon courage dans ma gorge.

– Mes amis, mes frères, j'ai fait un rêve, moi aussi, et dans ce rêve nous étions réunis, des milliers…

Les clameurs sont une nouvelle fois montées au ciel. J'ai attendu.

– … nous marchions tous ensemble vers le centre du puzzle où se trouvent les explications de notre misère…

J'ai enchaîné sans respirer.

– … et nous avons mis un bâton dans la roue pour arrêter… cette exclusion…

La foule ne pouvait pas résister à ces mots. J'ai laissé quelques minutes.

– ... mais aujourd'hui...

J'ai lancé mon regard vers les forces armées vêtues de bleu.

– ... mais aujourd'hui, on vient nous dire que, pour manifester contre nos vies de chien, il faut aller demander une autorisation à l'administration...

Un tonnerre de sifflements, d'insultes et de quolibets s'est projeté sur les policiers impassibles. Pendant une demi-seconde, je me suis imaginé en train de dire : « Eh bien non ! Nous préférons nous battre... »

Le carnage était facile à deviner, le parc André-Malraux inscrit dans les manuels d'histoire comme champ d'un épouvantable massacre. Tant de vies dépendaient de mes mots. Même si c'étaient des vies de chien inutiles, je n'avais pas le droit.

J'ai conclu :

– ... nous allons montrer notre bonne volonté. Nous allons nous disperser...

Déception.

– ... nous irons chercher cette autorisation, mais nous reviendrons un jour et nous serons des dizaines de milliers, debout, pour notre dignité.

Le délire s'est emparé des chiens. Des tonnes de puissance lâchées d'un seul coup explosaient en feu d'artifice. Frantzound, Akim et Némésis sont montés sur l'estrade. La foule commençait déjà à se disperser, ils me félicitaient tous les trois en même temps. Némésis était en larmes.

– Oh ! oh ! a crié une voix en bas de l'estrade. Moi oussi j'itis là, ji souis là it ji sirais tojors là, à coûti di mou frire Cisar.

Mohand a tendu la main à Frantzound pour se hisser. Il titubait de plaisir.

– Mi trois coupines sont tojors là, il a rappelé en exhibant la besace dans son dos. On digoubille, on lance it on attend cinq sicondes… ou cinq minoutes : ji mi souviens plus !… it pouis : boum, boum !

Les forces de l'ordre ont dégagé les entrées principales du parc, mais les chiens évacuaient les lieux de partout, sautaient les barrières ou se faufilaient par-dessous pour accéder à la route de Paris, disparaissaient derrière les arbustes plantés du côté du lac ou bien s'en allaient tranquillement en direction des immeubles HLM dont on apercevait les sommets blancs, périscopes dans la mer du ciel.

*   *
*

Quand les derniers manifestants se furent dispersés, le silence a recouvert un champ de bataille tout crotté et labouré. Avec mes amis, nous sommes sortis par l'entrée du parc qui débouche sur le RER Nanterre-Préfecture. Némésis parlait de la suite à donner aux événements quand une dizaine d'hommes en civil ont fait barrage en face de nous. J'ai tout de suite reconnu, au milieu d'eux, le chef qui disait dans le mégaphone que nous allions asphyxier la ville. Dans ma tête, tous les voyants lumineux indiquaient un danger. En deux secondes, j'ai cherché des yeux une issue de secours, mais partout des hommes, par deux, en posture de policiers, bloquaient les chemins.

Une nouvelle fois, nous étions faits comme des rats.

– Putain ! Oh putain ! a pesté Akim.

Le chef s'est avancé vers moi. Un homme jeune, avec une moustache tordue, blondinet, des yeux pâles. Un portrait-robot glacé. Il avait l'air de connaître par cœur tous les livres qu'il est nécessaire de connaître par cœur pour réussir sa vie administrative avec diplôme et encouragements du jury : code civil, code pénal, code de la nationalité, code de la famille, annuaire téléphonique, *ou-iz-ou* et touttiquanti. (et tout le reste)   who is who

– Monsieur le Préfet veut vous voir, il a dit.

Sans plus ni moins, sans chaud ni froid, neutre, comme c'était écrit dans le code de bonne conduite des agents de l'État.

Il aurait pu utiliser un conditionnel de politesse, dire que Monsieur le Préfet désirerait ou souhaiterait ou prendrait plaisir à me rencontrer... autour d'une tasse de thé au lait... mais la phrase ne laissait guère planer de doute. Les volontés de Monsieur le Préfet, porte-parole de la République, s'exprimaient au présent, et même sur-le-champ, du verbe « je veux ».

Le chef policier a désigné du bras le véhicule spécialement affrété pour nous, qui nous attendait à quelques mètres d'ici.

– ... s'il vous plaît.

– Vous avez un mandat d'amener ?

Alors là, tous les policiers ont ri en même temps. Ma question avait un goût de blague. Pour de vulgaires chiens qui jouaient au héros d'un jour, deux phrases courtes et sèches, c'était déjà beaucoup d'égards.

Après tout, ces policiers automates pouvaient très bien nous conduire en rase campagne et nous torturer, nous violer, nous découper en morceaux avant de nous balancer dans la Vologne ou le Danube. Qui nous garantissait qu'ils nous conduiraient dans les luxueux bureaux de la Préfecture avec fauteuil en cuir noir, moquette Saint-Maclou, tapis d'Iran et thé de Ceylan ?

J'ai regardé les copains. Frantzound, Akim et Némésis pataugeaient en plein Antarctique. La peur les transformait en congères. Quant à Mohand, accompagné de ses fidèles rescapées de Diên Biên Phu, il n'avait plus de trace de basané sur sa figure. Métamorphose ! Il était devenu visage pâle, et même visage transparent ! Il baignait dans la sueur.

Il a dit :

— Bon, ji crois que ji vas vous laissi prendre li thi sans moi...

Il a fait quelques pas en arrière et commençait déjà à retourner vers le parc, quand deux policiers guépards se sont jetés sur lui. Avant qu'il n'ait eu le temps de cligner de l'œil, il avait les mains en ciseaux dans le dos, tordues par un jeune homme à la corpulence art martial, tandis que l'autre le débarrassait de sa besace de faux berger.

— Chef ! Oh puté ! Chef, y a des grenades dans le sac !

— Oh putain, oh putain ! a fait Akim à côté de moi.

Le policier a fouillé un peu plus la besace, au cas où d'autres surprises miniaturisées seraient dissimulées sous les grenades.

— Y a que ça, chef !

— C'est pas si mal. On va déjà pouvoir discuter sérieusement, avec des arguments de ce calibre.

Mohand avait une face de méduse. Il sentait la délicatesse de la situation dans laquelle ses souvenirs de Diên Biên Phu nous avaient plongés. Il pestait contre le policier qui lui faisait une clef au bras, mais son langage était incompréhensible à l'indigène moyen. Le représentant de la société française et de son Histoire lui servait des « fellagha et des fellouze » en veux-tu en voilà, et Mohand se défendait avec des Diên Biên Phu et des Montecassino. Mais c'était déjà si loin dans le passé !

Nous sommes montés dans le fourgon. Direction le

Préfet. Monsieur le Préfet. Au point où nous en étions, on ne pouvait plus présager de notre avenir.

Je n'étais pourtant pas inquiet. Un sentiment porté par deux albatros.

*   *

*

Le Préfet n'avait pas l'œil mauvais. Il ressemblait au général de Gaulle, en plus petit. Ce qui me frappait le plus, c'était qu'il nous parlait comme si nous étions de mauvais sujets du temps du Moyen Age, ou des mauvais garçons du temps de Johnny Hallyday.

– Qu'est-ce que vous croyez ? Vous avez déjà une mauvaise image dans l'opinion publique : vous allez bien l'arranger, avec vos émeutes de chiens…

J'ai voulu me permettre un point de vue, mais il avait décidé de faire les questions et les réponses :

– … oui, je sais. Vous allez me dire : c'est à cause de l'injustice sociale, de l'histoire, de la colonisation, et du grand capital, et du grand Satan et patati et patata…

Il s'emballait tout seul.

– … mais qu'est-ce que vous avez dans le crâne ? Des pois chiches, ma parole ! Plus les gens auront peur de vous et plus ils iront dans les grandes surfaces pour s'acheter des armes. Ce sera vous, les cibles.

Sa phrase a eu un temps mort, le temps pour Frantzound de glisser une attaque :

– Nous voulons de la reconnaissance sociale. Et ça, ça se prend, ça ne se donne pas !

C'est tombé comme un couperet. J'étais soufflé. D'où sortait-il pareils discours ?

– Écoutez-moi ça ! a repris le sosie du grand général. Mais qu'est-ce que c'est que ces conneries ?

Il a dévisagé Mohand.

— Et vous ? Vous n'avez rien à dire ? Qu'est-ce que vous foutez avec des grenades au milieu de ces fous furieux ? A votre âge !

Mohand tremblait jusqu'à la pointe des cheveux. C'était la première fois de vie de grenadier qu'il côtoyait d'aussi près une autorité aussi haut placée.

— Missiou li Prifit, ji souis tiraillour algirien, j'ai tirailli à Din Bin Fou, Mounticassinou... ji rentrais traquille'ma chi moi, quand j'i vou l'attrop'ment au parc, alours ji souis entri par couriousiti... it ji mi ritrouve accousi par la souciiti qui j'i moi mîme difendi à Din Bin...

— Et les grenades dans votre sac, c'est du poulet ?

— Ah oui ! Li grinades... la viriti, c'i que c'matin, en allant joui oux boules avic dis copains ritritis, ji mi souis troumpi di sac... ji joure sur li youx di mis zenfants, missiou l'brifi !

— Eh bien, je voudrais pas être à la place de vos enfants !

Il s'est levé de derrière son bureau et il est passé de notre côté pour explorer nos gueules, un par un. Il s'est arrêté un long moment sur moi, sans rien dire. Puis :

— Vous voulez quoi, exactement ?

— On veut que ça bouge pour nous. Nos parents ont été des esclaves, tenus en laisse... Nous, on ne se laissera pas faire. On veut tout apprendre. Finie la vie de chien.

Il était touché, ça se voyait. Il devait se demander qui avait bien pu inculquer de telles idées à des analphabètes comme nous. Il a ôté ses lunettes et il est allé se poster devant une des immenses fenêtres de la pièce.

Dehors, il pleuvait. Une pluie fine.

— Je ne peux tolérer le désordre. La violence appelle la violence... La France est un pays de droit. Je ne veux plus entendre parler de vos manifestations sur la voie publique...

– Nous sommes contre la violence, me suis-je permis de placer. Nous rêvons nous aussi d'un monde avec des chances égales... Nous voulons aussi devenir créateurs, entrer dans les musées, aller à l'opéra, visiter les expositions, apprendre la musique...

Mohand était à l'affût :

– Coumme Ahmed Mozart !

Le préfet n'a pas sourcillé.

J'ai arrêté là. L'homme regardait la pluie tomber sur la ville, le dos tourné à mes phrases.

– Je veux sauver mon père, avant que le temps ne le presse, j'ai terminé.

Il a grimacé, une de ces contorsions du visage qui voulait dire que son cœur n'était pas entièrement barricadé derrière les règlements administratifs. Les mains croisées dans son dos. Il ne parlait pas.

– On peut partir ?

– Oui. Pour cette fois, je vous accorde à tous ma clémence.

Nous l'avons tous regardé pour mieux entendre. Mohand n'avait pas confiance.

Nous avons marché vers la sortie, à pas de loup.

Devant la porte, la voix de son maître nous a rattrapés :

– N'oubliez pas ce que je vous ai dit : la violence appelle la violence.

Il est resté planté devant la fenêtre. J'ai laissé passer mes amis et j'ai refermé la porte.

Il avait vraiment quelque chose du général de Colombey-les-Deux-Églises.

Les albatros se sont envolés, invisibles.

*   *

*

103

La porte s'est à nouveau ouverte derrière nous. Le Préfet est apparu dans l'entrebâillement :

– Hé, attendez ! Vous oubliez vos souvenirs.

Il est allé vers Mohand et lui a rendu ses trois grenades.

– Le jour où vous allez lancer ces boules sur un terrain de pétanque, ça va faire des trous...

Mohand a juré une nouvelle fois sur les yeux de ses enfants que jamais plus on ne l'y reprendrait.

Et moi, j'ai trouvé : c'étaient les oreilles du Préfet qui lui donnaient un air de général. L'administration a toujours des oreilles larges comme des antennes paraboliques.

* *
*

Dehors, les gouttes de pluie rebondissaient sur la chaussée de Nanterre et fabriquaient des torrents dans les rigoles, peut-être le commencement de la grande inondation. Némésis avait froid. Elle s'est serrée contre moi. Aussitôt, une vague de chaleur a inondé mon corps. Je sentais le désir monter en moi et allonger mon sexe en le durcissant. J'ai eu honte. Je me suis éclipsé pour feindre d'aller uriner derrière un arbre. J'ai laissé mon sexe penser à autre chose pour se désamorcer. En me voyant courir, Frantzound a fait une suggestion :

– A partir d'aujourd'hui, nous aussi on devrait aller aux chiottes publiques !

– Moi, à mon avis, l'intégration ça serait plutôt d'installer des chiottes à notre hauteur, a dit Akim.

Le débat était engagé.

Je suis revenu vers le groupe. Mohand regardait vers les fenêtres de la Préfecture.

– Il it quand mîme gentil, li Brifi…
– Oui, il aurait pu t'envoyer en prison…
– Je me caille, a rappelé Némésis.

Elle me faisait des appels de phare avec ses yeux. Elle voulait qu'on s'esquive pour une lune de miel dans un coin chaud, allongés sur le sable jaune et fin, avec des cocotiers comme parapluie et du jasmin comme parfum.

Mohand s'est soudain souvenu qu'il était à jeun depuis au moins une éternité, il a salué tout le monde en rappelant son adresse :

– Ji souis au *Casablanca*. Salam oua rlikhoum.

– Moi je vais à la chasse à cour, a dit Akim. Toutes ces émotions m'ont ouvert l'appétit.

– Attends-moi, je fais un bout de chemin avec toi, a dit Frantzound. Je suis crevé. Je vais faire une sieste.

Ils sont partis. Comme une déferlante, le désir ardent a recommencé à me harceler. Une bouffée de chaleur. A croire que les molécules d'amour n'attendaient que ce moment pour sortir des abris où elles s'étaient embusquées. Némésis aussi était bouillante de désir. Elle m'embrassait et me caressait partout où elle pouvait, et moi je promenais les pattes sur elle, les yeux fermés, je sentais au bout de mes ongles son corps ferme et je voulais hurler de joie pour cause de trop de bonheur. Je léchais sa peau, son regard, son ventre, en pleurant presque. D'un coup, je me suis retrouvé derrière elle, arc-bouté, prêt à libérer une météorite de bonheur concentrée sur mon sexe. Les battements de mon cœur résonnaient comme des tambours du Mozambique. Il fallait que j'ouvre les vannes pour libérer les molécules en furie. Je tenais la taille de Némésis avec mes serres d'aigle. La rage gonflait mes yeux et mes mâchoires. Tout à coup, elle s'est retirée :

– Non, pas ici. Ça fait chien.

Je suis retombé sur mes quatre pattes. Les molécules qui s'étaient déshabillées pour se jeter à l'eau se sont mises à l'abri des courants d'air. J'ai regardé Némésis avec un air cassé.

– On n'a qu'à aller dans un terrain vague ou dans une entrée d'immeuble. Je préfère me cacher. Sur le trottoir, comme ça, ça fait vraiment trop animal...

Elle m'a réconforté à coups de baisers pour entretenir les braises, puis elle m'a conduit jusqu'à une cave de HLM de la cité des Pâquerettes.

Elle avait raison, au fond.

C'était le début de l'intégration. Fallait s'adapter aux coutumes des zumins.

* *
*

La porte était grande ouverte. Nous sommes entrés. La cave était vide, à part un sommier rouillé abandonné contre un mur. A peine étais-je entré dans cette pièce sombre, royaume des poussières et du cambouis, que les molécules du désir sont à nouveau sorties de leur tanière. Elles sentaient que cette fois plus rien n'allait entraver leur marche vers la libération. J'étais euphorique. Je m'efforçais de contrôler la montée du bonheur. Némésis était placée juste en face de moi. Elle ne voulait pas le faire par-derrière. Elle désirait voir le reflet du plaisir dans mes yeux. Les molécules poussaient comme des folles, à l'intérieur. Chacune voulait sortir la première, respirer l'air du large. Je voulais aller aussi lentement que possible. Tout faire partager à ma compagne. Et soudain, tout s'est emballé. J'ai senti que, à force de pousser dans la foule, ces sottes de molécules avaient fait céder le barrage grâce auquel je contrôlais la montée des particules. J'ai serré les dents pour essayer de tout retenir. Rien à faire. Tout a coulé. Une brèche s'est ouverte. J'ai regardé par terre, les molécules se sont expulsées d'elles-mêmes dans le vide et se sont fracassées les unes contre les autres, entre mes pattes. En une seconde, tout était fini. Némésis m'espérait, et moi j'étais déjà tout parti. Je regardais le désastre avec tristesse. Je n'osais pas lever les yeux vers elle. Maintenant, la chaleur de la honte me chauffait rouge. Elle a relâché ses muscles et s'est laissée retomber sur ses pattes.

– Ça fait rien. C'est toujours comme ça au début. On aura d'autres occasions de s'aimer.

J'ai fixé mes molécules gisant à terre, mortes pour rien dans la solitude et j'ai avancé mon museau pour sentir leur odeur. C'était celle de la poussière et du cambouis. Némésis me regardait :

– Allez viens, la pluie s'est arrêtée. On va se balader tous les deux en amoureux.

J'ai uriné sur les stupides molécules et je suis sorti avec elle de la cave. Deux enfants y entraient, comme dans leur terrain de jeux. En nous voyant, ils ont pris des airs de dégoût et d'horreur. Ils avaient peur de nous. Nous, nous avions peur d'eux. Et pourtant, nous n'étions que des amoureux en période d'essai.

* *
*

Pendant que je tenais Némésis entre mes pattes et que je faisais monter le miel de mon désir, il n'y avait plus rien d'autre dans ma tête que l'amour. J'avais tout oublié, le reste de ma vie, la police, mon père et la roue. Mon sexe faisait prisonnier tous les soucis et les broyait à chaud.

Mais maintenant que la tempête de l'amour s'était calmée, toutes les questions de vie quotidienne remontaient à la surface pour gober. Je marchais à côté de Némésis dans les rues de Paris et je ne savais même pas comment nous étions arrivés là. Elle me montrait des curiosités que je ne regardais pas, elle me parlait mais je n'écoutais pas.

– Quand on fait l'amour, on oublie tout, elle a dit.

Tout en feignant d'admirer les vitrines des boutiques et les saltimbanques des trottoirs de Paris, elle gardait un œil sur moi, pour savoir dans quel monde j'errais.

– Heureusement que tu es là, j'ai dit.

– Un jour on se mariera et on aura des chiots et ils vécurent heureux le reste de leurs jours, elle a répondu.

C'était pour détendre l'atmosphère.

Son amour était splendide.

*   *
*

Mon père avait tout appris par le téléphone arabe et les journaux. On parlait d'un regroupement de chiens dans le parc André-Malraux et de l'arrestation d'un suspect d'origine *tirailleur* en possession de grenades, qui s'apprêtait à commettre des attentats en France, au nom d'une « révolution tméniique », non encore identifiée dans le catalogue du terrorisme.

Deux détails avaient attiré l'attention de mon père. La personne qui lui avait lu l'article avait affirmé que l'opinion publique était traumatisée et que les armureries de la ville étaient dévalisées par la psychose d'insécurité. L'autre détail, c'était la photo : un cliché noir et blanc, où l'on voyait vaguement une foule de chiens, mais au milieu de laquelle on apercevait très nettement César, à côté d'Akim et d'un homme à l'allure patibulaire.

Il pestait en agitant le journal sous ses yeux :

– Tu crois que j'ai pas assez d'ennuis comme ça ! Moi je me crève à la roue pour essayer de te bâtir un avenir, et toi, voilà ce que tu me ramènes ? Des soucis avec le monde ! Qu'est-ce qui t'a pris de semer cette pagaille dans la ville ?

Je ne l'avais jamais vu dans un état pareil. Cette histoire le faisait déborder. Il vissait ses yeux dans les miens pour me montrer son désarroi. Ça piquait.

– Vas-y, réponds !

J'ai hésité :

– Qu'est-ce que je peux dire ? Si je parle, tu vas t'énerver encore plus...

– Et pourquoi tu voudrais que je ne m'énerve pas ?

– ... nous les jeunes, on ne veut plus être considérés comme des moins-que-rien. On veut que ça change...

Ses yeux s'exorbitaient au rythme de mes mots :

– QUOI ! ! !... Que ça change ?

Il a cherché quelqu'un à prendre à témoin. Voir s'il n'avait pas rêvé, mal entendu. Ses muscles étaient noués.

– ... Tu as faim ? Je ne te nourris pas assez ? Tu es malheureux ? Tu es malade ? Tu manques de quelque chose ?

Voilà, il s'emportait dans sa bourrasque. Impossible d'expliquer quoi que ce soit, à présent. Il ne percevait plus rien de ce qui se passait.

– Tu veux faire de la politique ! C'est ça !

Il a virevolté de nouveau.

– Mon chiot veut faire de la politique ! Mais c'est pas possible : où es-tu allé chercher ça ? Tu veux foutre en l'air toutes les années que j'ai sacrifiées pour toi et ta sœur ?

Emma s'est approchée. Nikita aussi. Elles étaient restées à l'écart, jusque-là.

Ça sentait l'explosion d'un monde, ça s'appelle : le passage de générations.

– C'est toi qui disais toujours au début de cette histoire que tu en avais marre de faire tourner cette putain de roue… On pourrait retourner voir au début, si tu ne te souviens pas… j'ai dit.

– Mais, mon chiot, tu es devenu fou ! Qu'est-ce que tu racontes ?

Il a fait trois pas vers moi. Il transpirait, haletait, grondait. Il a levé une patte en l'air comme s'il voulait m'assommer, mais j'étais confiant, il allait s'arrêter avant. Emma et Nikita ont surgi en même temps :

– NON !

Emma s'est affalée à terre et s'est mise à pleurer :

– S'il te plaît, ne le frappe pas. Je t'en prie, tue-moi à sa place, voilà ma tête.

Nikita n'a pas pu résister, elle s'est effondrée à son tour et elle criait :

– Non, ne frappe pas maman… non.

Elle appelait au secours.

Un film de fous. Il n'y avait même plus de télécommande, de touche *rewind* ou *retour rapide*, de *stop*, pour arrêter la cassette du magnétoscope.

Mon père a hurlé, lui aussi :

– A cause de lui, ils vont venir nous faire une piqûre, on sera expulsés !

Némésis est entrée dans la scène à son tour. Elle m'a serré dans ses pattes comme si j'étais un revenant. Toutes les femmes pleuraient, des larmes maternelles, fraternelles et du chagrin d'amour.

La colère dévastait mon père. Elle déchirait tout. J'ai essayé encore de lui parler, des mots mort-nés. Je voulais lui expliquer comment avait démarré cette manifestation, l'histoire de deux anges gardiens aux ailes géantes, il aurait ri… Impossible. Il marmonnait une obsession :

– Il veut faire de la POLITIQUE… il veut faire de la politique…

Pour lui, c'était comme : pourquoi tu veux te mêler des affaires des autres ?

Il a eu un moment de répit. Il allait pleurer comme un enfant :

– Pourquoi tu veux chercher à comprendre, alors que nous mangeons à notre faim, dans notre abri ? Hein ? Vas-y, explique-moi ton bon sens ! Va en Inde, au Brésil, en Afrique… tu verras ce que veut dire CREVER DE FAIM comme un chien… tu verras les chiens errants qui s'abreuvent du sang des cadavres zumins pourrissant dans la poussière… moi qui croyais que tu savais mesurer les choses…

Il y avait tant de déception dans sa voix. Il tournoyait sur lui-même. Il se saoulait dans le vertige. A chaque tour, il trouvait de nouveaux mots pour m'insulter. Il allait sortir de ce cercle vicieux d'un moment à l'autre. J'ai jeté un coup d'œil vers Némésis, elle avait peur qu'il me tue, elle avait tant d'amour pour moi.

Je ne savais pas comment aider mon père à se dégager de son piège. Il s'est arrêté tout seul. Il est venu vers moi, comme ivre. Emma s'est mise toute sur moi, comme si j'étais en feu, elle avait senti qu'il allait m'achever, puis Nikita et Némésis ont crié de terreur et j'ai vu la gueule de mon père à quelques centimètres de la mienne. Il a craché sur moi. Tout son mépris. Après, il est sorti sans rien dire. Emma a immédiatement commencé à essuyer cette saleté, mais comme c'était celle de mon père, je n'étais pas dégoûté du tout. Ça restait dans la famille. J'ai pleuré un peu, mais pas trop. C'était malheureux de voir un père dans ce trou noir. Tout ça à cause de cette putain de roue.

Putain de vie !

– Pleure pas… pleurait Emma. Regarde, je t'essuie.

Elle était bouleversée.

Némésis, c'était pire.

Nikita, c'était pire aussi.

Un monde pas facile.

Première fois de ma vie que mon père ne m'aimait plus comme ça. Moi je voulais casser le monde pour qu'il soit plus heureux. Et fier de son fiston. Et voilà.

* *

*

Pendant trois jours et trois nuits, disparu mon père. Personne ne savait où il se cachait. Je me suis rendu à la roue pour prendre des nouvelles en cachette. Un chien anonyme m'a confirmé sa présence normale à son poste. J'ai entendu les abominables voix des contremaîtres-chiens qui harcelaient les « traîne-heures ». J'avais envie de leur sauter à la gorge et de les mordre jusqu'à la mort par strangulation : homicide volontaire avec préméditation, avec intention de donner la mort, avec sadisme en plus et toutes les circonstances aggravantes. Surtout celui qui avait une sale gueule de tueur, qui surveillait le travail des pauvres avec sa vitrine remplie de muscles. Ces chiens-chefs faisaient beaucoup de mal aux autres, on aurait pu croire qu'ils avaient fréquenté les grandes écoles, étudié la psychologie, alors que c'étaient seulement d'anciens errants analphabètes, recrutés pour le demeurer. Ils faisaient la police contre leurs propres frères pour que la roue tourne sans à-coups.

Plus je regardais fonctionner la machine à vie, plus je

m'étonnais de sa perversité. C'était difficile à comprendre. Comment peut-on penser à la vie pendant qu'on la vit ? Comment penser au temps pendant qu'il passe ? C'était cela que mon père appelait « faire de la politique » ou « chercher à comprendre ».

Je me suis mis à envier les vies qui ne se posaient jamais de questions. Je me suis rendu à l'évidence : je n'allais jamais détruire la roue. Il y avait plusieurs routes pour emmener jusqu'au pays du Bonheur, des parallèles, des perpendiculaires, des ascendantes, des descendantes, des nord, des sud. Et tant d'autres encore. A chacun la sienne.

*   *
*

J'ai crié au ciel avec tout l'air qui était dans mes poumons :

— Pa... paaaaa !

Le mot est allé percuter les oreilles de milliers de chiens qui s'activaient à irriguer la roue et étaient sourds comme des carpes. Personne n'entendait ma peine. J'ai crié encore plus fort. Rien. Mon père était mort et aucun de ces chiens n'avait le courage de me le dire.

— Papa !

Le contremaître-chien à tête de cochon m'a surpris par-derrière :

— Qu'est-ce que tu fous là, toi ? Tu sais pas que t'es dans une zone de sécurité ? Que cherches-tu ?

— Je cherche mon père.

Je me suis écarté de lui.

— Y a pas de père dans ce monde, y a que des travailleurs.

Il s'approchait de moi, lentement, comme si de rien

n'était. Il me prenait pour un naïf. Je l'ai bien fixé pour
enregistrer son portrait-robot dans ma tête et l'emporter
avec moi : il allait payer un jour ou l'autre le mal qu'il donnait. J'ai baissé les yeux, rentré ma queue, retenu ma respiration et d'un coup sec j'ai détalé. Même une antilope
coureuse de marathon ne m'aurait pas rattrapé.

Le chien à tête de porc a hurlé dans mon dos :

– N'y reviens pas ! Tu le regretterais, fils de chien.

J'ai répondu dans ma tête : je reviendrai et c'est toi qui
payeras, bâtard !

★ ★
★

Quand la tristesse se mélange au dégoût, sur le cœur ça
fait de la boue. Elle m'a enseveli. Pourquoi mon père ne
voulait pas revoir sa famille ?

Putain de vie.

J'ai marché en aveugle et j'ai aboyé comme un ogre
pour appeler au secours. Deux albatros sont descendus à
ma rescousse. Ils ont fait un survol au-dessus de moi pour
vérifier que j'étais bien César, leur protégé, puis ils se sont
posés avec une infinie délicatesse à mes pieds, comme toujours, à quelques mètres, juste pour dire : on est là, chiot.
T'es pas tout seul.

Leur blancheur rendait encore plus rouges les coquelicots.

Leurs regards recouvraient les eaux du fleuve. Je ne
bougeais plus. Ils m'indiquaient l'étoile du bonheur,
quand mon ciel se couvrait de cumulo-nimbus. Je me suis
installé derrière eux, confortablement, et j'ai regardé moi
aussi couler le fleuve du silence.

J'ai fermé les yeux. J'ai vu défiler les saisons dans un

salon de mode avec Vivaldi en chef d'orchestre. J'étais l'invité d'honneur d'une fête. Soudain, un bruissement d'ailes a interrompu la musique. Les albatros, alertés par des bruits suspects, s'enfuyaient en courant sur le lit du fleuve à la manière de Baudelaire. J'ai senti une présence dans mon dos :

— Je te cherche depuis une éternité, a dit ma Némésis.

Elle parlait à voix basse. Elle ne m'a pas demandé ce que je faisais là, à fixer l'eau sans raison.

Je l'ai admirée un instant. Qu'elle était belle !

— Tu as vu les albatros ? j'ai demandé.

— Les quoi ?

— Les oiseaux.

Elle a cherché de tous les côtés, sur terre, dans le ciel.

— Non, j'ai rien vu.

Elle a interrogé à nouveau les alentours. Elle est venue se blottir contre moi, je lui ai dit des mots d'amour.

— C'est merveilleux, c'est merveilleux, elle a répété.

J'avais le cœur à fleur de peau. Je l'ai serrée, presque cassée.

— A quoi tu penses ?

— A toi.

— Menteur, elle a dit tout de suite.

J'ai ri un peu.

— Comment tu as su que j'étais là ?

— Je ne sais pas, elle a répondu. Instinctif…

Ensuite, elle a sorti un bout de chien chaud d'un sac et elle me l'a tendu.

— C'est pour toi.

Némésis m'aimait. Ça me faisait un truc étrange. De la peur avec du bonheur.

— A quoi tu penses, encore ?

— A toi encore.

Elle a ri à son tour.

– Menteur.

J'ai mangé le chien chaud, allongé par terre, la tête de
Némésis sur ma poitrine. Je fixais le ciel et je les voyais
moi, les vastes oiseaux blancs des mers. Des géants.

*   *
*

Madame Natacha avait sa tête des jours sans. Elle allai
et venait dans le jardin, rentrait chez elle, ressortait, cla
quait les portes, balbutiait des mots rabotés. A ur
moment, elle a ouvert les portes de la chambre et elle a cri
à son mari qui devait être derrière elle :

– J'en ai marre ! Marre ! Je vais me suicider, ça sera bier
fait pour toi… tu en pourriras toute ta vie comme un chien

Et les enfants pleuraient. Je devinais leurs mains lancée
en l'air comme une bouée de sauvetage. J'entendais :

– Non, maman !

C'était un jour sans, pour les maîtres. Un jour où l
dégoût et la colère prenaient le dessus sur le monde, alor
nous restions bien au chaud, à l'ombre dans notre niche
pour éviter d'être transformés en cibles. Je regardai
Madame Natacha avec curiosité, mais Emma n'était pa
rassurée.

– Rentre, César, tu vas attirer leurs foudres.

J'ai juste fait un pas en arrière. Quelques minutes plu
tard, le maître est sorti avec les enfants. C'est lui qui le
emmenait à l'école dans la grande voiture. J'ai bien fix
leurs visages. Les larmes avaient fait des dessins sur leur
joues. Pas beaux à voir. Le plus petit, avec son cartabl
accroché au dos, n'arrivait pas à s'arrêter de pleurer e
pensant à sa maman. Le père lui criait :

– Mais tu vas arrêter ! Tu vas arrêter !

Le petit a passé sa manche sur ses yeux, mais il ne pouvait pas s'arrêter.

– Je peux pas, il a reniflé. J'arrive pas…

Le père n'était déjà plus là. Son grand frère le réconfortait avec des caresses sur la tête. La petite sœur ne disait rien.

– Ils font peine à voir, les pauvres, a dit Emma.

Elle s'était avancée, pour voir.

La voiture est sortie du jardin. Un doigt critique avait écrit « sale » sur la carrosserie recouverte de poussière de pluie. Emma a soupiré. La détresse des autres faisait toujours bon ménage avec la sienne.

– Oh, mon Dieu, c'est si dure une vie d'enfant.

Elle a ajouté :

– Je ne sais pas si…

Elle m'a regardé en retenant ses mots, elle semblait déjà les regretter.

– … s'il t'arrivait quelque chose…

Elle s'est mise à trembler, juste à cause de son idée de malheur.

– Il ne m'arrivera jamais rien.

– Ce qui se passe autour de toi m'inquiète, mon chiot. Toute la ville parle de toi… Je ne comprends rien à ce que tu fais, mais je t'en supplie, fais attention ! Ils ont déjà failli te pendre…

Elle était livide de peur. J'étais mal. Elle voulait que je lui explique, à elle, en toute complicité, seul à seule, la bataille que je livrais contre le monde. Elle pourrait peut-être m'aider à y voir plus clair. Me conseiller.

– Je sens bien que rien ne pourra te faire dévier de ton chemin, mais je te redis que le bonheur, c'est moi, c'est ton père, ta sœur… Le reste, ça va, ça vient… Nous, on est là, on te laissera jamais tomber. On partira jamais. On reste

Elle mettait dans chaque mot toutes ses forces. Elle
voulait seulement que j'arrête de faire des vagues dans la
ville. Que je redevienne son petit César d'avant.

La voix de Madame Natacha a résonné dans le jardin.
Une urgence.

— Césaaaarrr !

Absent, le chiot.

— Césarrr !

Je ne voulais pas y aller.

— Vas-y, a dit Emma.

J'ai hésité une seconde, j'ai mis le museau dehors, je me
suis approché de la porte d'entrée de la villa. Madame était
à sa fenêtre. En un éclair, le monde a basculé dans ma tête.
J'ai fait marche arrière.

— Allez, il vient mon César, mon chiot… Mais où il va,
Césarrr !

Calmement, je me suis dirigé vers la sortie, j'ai poussé
la porte avec mes deux pattes et je me suis retrouvé dans
la rue. J'avais parfaitement conscience de mon geste. Une
lourde faute professionnelle. Il y aurait des menaces contre
ma famille.

— Césarrrrrr ! Pour la dernière fois…

Un vrai lasso qu'elle lançait en tout désespoir de cause.
Il tombait à côté. Je ne pouvais plus aller à rebrousse-poil.
Madame Natacha s'éloignait dans mon sillage comme un
îlot mangé par l'océan. Fallait que j'y aille, moi aussi.

J'ai entendu des gémissements. C'était Emma. Elle avait
passé son museau à travers le grillage de l'entrée et elle me
regardait, muette de peur : elle comprenait maintenant que
je ne serais plus jamais son César d'avant. Son chiot.

Putain, ça ne me faisait pas du bien au cœur !

Jamais je n'oublierai ses yeux dériveurs.

* *
*

Quand je suis arrivé dehors, immédiatement j'ai compris qu'ils m'attendaient depuis des jours et des jours : des chiens partout, postés en guetteurs, les yeux tendus dans ma direction. Les premiers, en me voyant sortir, ont aboyé, et d'autres plus loin, puis d'autres encore. Puis une dizaine de chiens sont venus à ma rencontre, m'ont salué avec d'étranges sourires. Tout allait trop vite. Je ne voyais pas clair. Je ne pouvais rien arrêter. La machine était en route.

Un boxer s'est placé en face de moi :

– César, ton père est en prison !

Le coup est tombé comme une sentence. Le ciel s'est mis à genoux.

– Je suis prêt à faire ce que tu veux pour le libérer...

– Moi aussi, a aussitôt dit un autre.

– Nous aussi, ont fait les autres.

– Ils l'ont enfermé pour nous impressionner...

Mes pattes ne me portaient plus.

– Mon père en prison ? !

J'avais peine à le croire.

Le boxer s'excitait :

– Tu ne le savais pas ?

– Ça va bouger ! Ça va chauffer ! s'excitaient les autres.

Des groupes de chiens sortaient du décor de la ville et gonflaient les troupes. Quelques-uns traînaient encore, dans le dos, la laisse de leur maître. Les aboiements étaient des cris de guerre. La tension montait, et plus elle montait plus les chiens arrivaient de nulle part. Je regardais devant, derrière, partout le même spectacle. La rue noircissait à vue d'œil.

119

Emma et Nikita étaient-elles au courant ?

Mon père en prison ! L'idée me donnait la nausée. Je l'imaginais, livré en pâture à des geôliers racistes et vulgaires. Je l'imaginais essayant de rester digne en pensant à moi.

Emma et Nikita sont arrivées. Elles savaient. Il y avait quatre autres chiennes avec la mienne. Elles avaient toutes sur elle un air épouvanté mélangé à une colère noire. Puis Akim a émergé de la foule, gesticulant à la manière d'une marionnette. Il a fondu comme un aigle droit sur Nikita qui geignait. Quand elle l'a aperçu, une lumière s'est installée dans ses yeux. Ils se sont lancés l'un dans l'autre. J'ai regardé avec étonnement ces deux cœurs complices qui dansaient sur la même chaussée. Et dire que je n'avais jamais rien su ! Ma sœur avec Akim ! Je voulais fermer les yeux et recommencer la scène dans le jardin, quand Madame Natacha m'appelait pour le goûter au miel…

Frantzound a débarqué. Il a pris les affaires en main. Il rayonnait de joie. Le jour des chiens était arrivé.

— Bon, faut pas se laisser faire. Faut agir avec la tête cette fois, et pas se conduire comme des bêtes.

Quelqu'un répétait un refrain :

— Oh putain ! Oh putain ! C'est parti mon kiki.

— Mais pourquoi tout ça, pourquoi tout ça ? demandait Emma.

Une voisine la réconfortait. C'était Sarah. Son mari était mort, il y avait quelque temps, broyé par la roue. Ses enfants étaient avec elle. Elle savait pourquoi elle était là. Elle encourageait la foule :

— Faut y aller, faut y aller ! Plus jamais ça ! A mort la roue !

Alors, un chien s'est hissé sur un bac à sable installé sur

les trottoirs de la ville de Nanterre et il s'est mis à chanter pour la foule. Une voix magnifique, grave et claire montait au ciel, au-dessus de tout :

> *Oh mes sœurs, oh mes frères*
> *n'y aura plus de douleur*
> *n'y aura plus de misère*
> *quand sera venu le temps*
> *où nous marcherons ensemble...*

La foule reprenait l'hymne. Et c'était un raz de marée, un autre monde, un autre temps, tous ces chiens qui battaient la cadence avec leurs pattes, serrés les uns contre les autres, la première fois de leur vie qu'ils voyaient tant de force sortir d'eux-mêmes, qui pleuraient, riaient, aboyaient toutes leurs joies et leurs peines. Mes poils étaient montés sur des collines de frissons. C'était magnifique. J'ai levé la tête au ciel : un seul nuage faisait tache, au-dessus de nous. Moi je voyais deux albatros, assis au milieu de ce fauteuil de coton, qui laissaient faire.

Frantzound est monté jusqu'au chanteur et il a lancé à la foule :

— Tous à la roue !

Quelqu'un a tapé dans mon dos. Le jeune peintre des trottoirs était là aussi. En l'apercevant, j'ai failli l'embrasser, mais il se tenait toujours à une certaine distance de moi.

— Salut, le chien. Je t'avais dit que je reviendrais. On ira tous au paradis, n'est-ce pas ? Même les putains et même les chiens...

— Et li tiraillours algiriens ! a crié Mohand arrivé à la hâte avec ses nouvelles boules de pétanque.

Il m'a pris dans ses bras. Il pleurait de joie. Première fois qu'il pleurait de joie en partant à une guerre.

Les chiens avaient des ailes. Les oiseaux marchaient.

* *
*

Nous ne sommes pas allés à la prison. Nous nous
sommes retrouvés directement à la roue, au centre des
débats. Des dizaines de milliers de manifestants, seul le ciel
n'en était pas rempli. Tout le reste était noir de monde. Je
marchais devant, avec mes proches. J'avais l'impression
d'être devenu un albatros et les marcheurs étaient mes
ailes.

Ils pouvaient venir maintenant, les représentants de
l'ordre ! Face à ce peuple en marche, ils n'existaient plus.
C'était gagné d'avance. Nous étions trop nombreux.
Autour de moi, chacun se rendait compte de cette évidence. Nous avions déjà gagné la bataille qui n'aurait pas
lieu.

En nous voyant déferler sur eux, tous les chiens qui tra-
vaillaient à la roue se sont mis à aboyer et remuer la queue
pour manifester leur liesse. Ils ne savaient pas encore ce
qui se passait, mais, remplis de joie, ils se sont arrêtés de
travailler. Et à ce moment-là, le miracle s'est produit : la
roue a cessé de tourner. Le temps ne se comptait plus. Les
grincements des derniers mouvements se sont atténués
jusqu'à l'étouffement final et un immense silence s'est installé sur les lieux. On n'entendait que le fleuve qui glissait
dans son lit, à l'écoute.

Plus rien ne bougeait. Plus personne.

J'ai dit à Frantzound :

– Tu vois là-bas, les contremaîtres-chiens...

– Oui.

– Tu prends un groupe avec toi et tu vas les chercher.
J'ai des mots pour eux.

122

Je les ai regardés s'approcher des chefs dont la terreur faisait bloc de glace sur la gueule. Ils n'ont opposé aucune résistance, ils avaient déjà tout compris. Ils sont arrivés devant moi. Une dizaine, au total. J'ai piqué des yeux celui à tête de porc qui battait mon père et qui me menaçait dans le passé. J'ai laissé mon regard parler tout seul et c'était un plaisir royal de constater que le bourreau des travailleurs me recevait cinq sur cinq, en temps réel. Il avait l'air bien analphabète, à présent.

– Tu as un nom ?

Il gardait les yeux à mes pieds.

– Morleu.

– Joli nom pour un salaud.

Il a baissé d'un cran son regard. J'ai laissé le silence pour l'enfoncer dedans.

– Tu sais ce que tu vas faire, maintenant ?

Il a remué sa tête pour dire non.

– Tu vas aller à la prison, avec tes pourris de collègues et tu vas dire à tes maîtres de renvoyer mon père, sous peine de tuerie générale.

Il s'est jeté à mes pattes, comme un tapis, une peau de mouton.

– Pardon, César ! Pardon ! Je ferai ce que tu voudras. Je suis ton esclave…

– Y a pas d'esclaves chez nous, a coupé Akim.

Sarah s'est approchée de Morleu. Elle lui a d'abord craché à la figure.

– Tiens, ordure !

Il n'a pas bougé. Alors elle s'est approchée de son cou et elle a planté ses crocs dans sa chair jusqu'au sang. Un bon moment.

Elle s'est retirée et elle a dit :

– En souvenir de mon époux « mordu par la vie », à cause de toi.

Elle est allée cracher sur les autres chefs.

L'atmosphère virait à la gêne. Mohand a sorti une boule de pétanque. Il l'a exhibée aux yeux de Morleu.

– Ji vas te la fire bouffer avic du sel.

L'autre a fait la grimace. Il a accroché son regard au mien.

– Pardon, César ! Je vais faire ce que tu veux. Je vais chercher ton père.

Il y est allé, avec ses collègues.

Un chien alto est à nouveau monté sur un promontoire et s'est mis à chanter. La foule a repris en dansant à la manière des Africains des townships de Johannesburg :

Oh mes sœurs, oh mes frères
Nous vaincrons la misère
Nous construirons un ciel
Tout autour de la terre

Tout ce bonheur ensemble, c'était splendide.

* *
*

En attendant la délivrance, des chiens se sont installés à l'intérieur de la roue et ils ont commencé à la faire redémarrer, doucement, à leur rythme, notre rythme. On entendait à nouveau le clapotis de l'eau, doux comme des notes de piano. Némésis a pressé sa patte contre la mienne. Le peintre des trottoirs a entonné son refrain :

LES CHIENS AUSSI

On ira tous au paradis, même moi,
même les putains et même les chiens,
on ira tous au paradis...

Les chiens murmuraient la chanson du pays du Bonheur. Tout était fini. Tout recommençait.

* *
*

Bien sûr, un jour tous les papas finissent par mourir. Une nuit, dans la niche, je me suis réveillé en sursaut. Un pressentiment. J'ai foncé vers le lit de mon père. Il ne ronflait plus. J'ai essayé d'écarter ses yeux pour voir le blanc.
Je l'ai appelé dans son sommeil :
– Eh papa, t'es vivant ?
Il s'était envolé au pays du Bonheur.

Les Chiens aussi
3 volumes sous coffret
« Point-Virgule », n° 905, 1996

Zenzela
Seuil, 1997
et « Points », n° P1509

Du bon usage de la distance chez les sauvageons
(en collaboration avec Reynald Rossini)
« Point-Virgule », n° 199, 1999

Le Passeport
Seuil, 2000
et « Points », n° P1413

Ahmed de Bourgogne
(en collaboration avec Ahmed Benediff)
Seuil, 2001
et « Points-Virgule », n° 59, 2003

Les Voleurs d'écritures
suivi de Les Tireurs d'étoiles
sous coffret
« Points-Virgule », n° 46, 2005
et « Points », n° P1640

Le Théorème de Mamadou
Seuil Jeunesse, 2002

Le Marteau pique-cœur
Seuil, 2004
et « Points », n°P1313

Chez d'autres éditeurs

L'Immigré et sa ville
Presses universitaires de Lyon, 1984

La Ville des autres
Presses universitaires de Lyon, 1991

La Force du berger
(illustrations de Catherine Louis)
La Joie de lire, 1991

Jordi et le Rayon perdu
La Joie de lire, 1992

Le Temps des villages
(illustration de Catherine Louis)
La Joie de lire, 1993

Les Lumières de Lyon
(en collaboration avec Claude Burgelin et Albert Decourtray)
Créations du Pélican, 1994

Quand on est mort, c'est pour toute la vie
Gallimard, « Page Blanche », 1991
et Gallimard Jeunesse, 1998, 2002

Ma maman est devenue une étoile
(illustrations de Catherine Louis)
La Joie de lire, 1995

Mona et le bateau-livre
(illustrations de Catherine Louis)
Compagnie du livre, 1995
et Chardon bleu, 1996

Espace et exclusion
L'Harmattan, 1995

Place du Pont, la Médina de Lyon
Autrement, 1997

Dis Oualla !
Fayard, « Libres », 1997
et Mille et une nuits, 2001

Un train pour chez nous
Thierry Magnier, 2001

Les Dérouilleurs
Mille et une nuits, 2002

L'Intégration
Le Cavalier bleu, 2003

La Musique du Maghreb : Zowa et l'oasis
(raconté par Fellag,
illustrations de Nicolas Debon,
mise en musique par Fatahallah Ghoggal et Luis Saldanha)
Gallimard Jeunesse, « Mes premières découvertes de la musique », 2005

L'Île des gens d'ici
(illustrations de Jacques Ferrandez)
Albin Michel, 2006

Un train pour chez nous : CM1
(en collaboration avec Catherine Louis)
Magnard, 2006

Un mouton dans la baignoire
Fayard, 2007

La Justice et son double
(en collaboration avec Pierre-Alain Gourion et Gilles Verneret)
Aléas, 2007

IMPRIMERIE : BRODARD ET TAUPIN À LA FLÈCHE (02-04)
DÉPÔT LÉGAL : MARS 2004. N° 63880-2 (42765)
IMPRIMÉ EN FRANCE